서른두 살의 32가지 감정여행

모든 감정 도감

들어가며: 감정을 모으러 가는 길

이 책은 요즘 제일 관심 있는 〈감정〉에 대한 이야기이다. 내 감정을 모아둔 모든 감정 도감을 만들면 좋겠다고 생각했다. 감정은 언제나, 늘, 함께 살아왔기에 감정에 관해 쓴다는 것이 유난스럽고 뻔하다고 생각할지 모르겠다. 하지만 일단 들어보시라.

올해는 인생의 변화가 많았다. 꾸준히 하는 것을 누구보다 잘하고, 좋아하고 재미난 것이 있으면 집요하게 파고드는 나에게 〈10년간 하던 직업을 관둠〉이라는 큰 변화를 주었다. 쉬지 않고 새로운 시작을 했고, 여러 시도를 하고, 새로운 사람들과 만남이 생겼다.

크고 작은 변화들이 끊임없이 생겼고, 변화 속에 나를 던졌다. 그 변화 속에서 다시 열정도 생기고 재미도 찾고 신나고 즐거우면서도 현실적으로 돌아보면 갑갑했다. 시간은 자꾸 가는데, 이렇게 살아도 되나? 이게 맞나? 싶었다. 이런 마음들이 자주 찾아왔다. 하루에도 수십 번 생각했다. 감정들이 휘몰아쳤다. 오르락내리락하는 감정들로 마음이 널뛰었다. 다른 때처럼 이 모든 감정을 흘려보내기보다는 변화가 많은 올해의 이 감정을 잘 담고 기록하고 싶어졌다.

어떨 때 기쁘고, 슬프고, 화나는지 등등 감정들을 세세하게 나누고 감정 속에 담긴 이야기들을 풀어놓고 그걸 모으면 재밌겠다고 생각했다. 감정들을 다 모으고 나면 이 이야기들이 앞으로 사는 데에 있어서 길잡이가 되고, 더 나아가 '잘 살 수 있지 않을까?'라는 생각이 들었다.

이 책은 유난히도 변화가 많았던 서른두 살의 32가지 감정들을 모은 모든 감정 도감이다. 왠지 이 감정여행이 끝나면, 앞으로 잘 살 수 있을 것만 같다. 어떤 감정이 모였을지 궁금할 것이다. 출발해보자!

근데... 감정을 다 모으면 과연 진짜 잘 살게 될까?

[감정도감 참고사항]

1. 감정의 타입

: 크게 희로애락(기쁨, 노여움, 슬픔, 즐거움)으로 나눔.

2. 감정의 기본 특성

: 표준국어대사전을 인용.

3. 감정은 해설에 따라 본래 특성과 다르게 작용

: 해설은 저자의 개인적인 경험을 바탕으로 작성.

: 감정의 '주요 스킬' 은 저자의 경험을 확장해서 작성.

: 약간의 상상을 바탕으로 감정의 형태를 형상화.

4. 감정 응용 및 활용

: 하나의 일이 벌어지면, 한 감정만 생기는 건 아니다.
동시에 여러 감정이 생겨날 수 있다. 다른 감정들과 조
합하여 복합적으로 나에게 작용한다.

5. 마음 회복력 지표

: 마음 회복력 지표는 스마일로 표기.

: 스마일이 완성될수록 마음회복력이 빠르게 되는 감정을 뜻한다. 마음회복력이 가장 빠르게 되는 감정은 스마일이 무려 5개!

<목 차>

2장. 오르막 코스

32가지 감정여행 중 짧게 스쳐갔던 감정 한 줄 평

곤란하다 / 귀찮다 / 답답하다 / 당황스럽다 / 두렵다 / 밉다 / 서럽다 / 섭섭하다 / 속상하다 / 쑥스럽다 / 실망하다 / 싫다 / 안타깝다 / 억울하다 / 외롭다 / 우울하다 / 원망스럽다 / 조마조마하다 / 행복하다 / 혼란스럽다 / 흥분되다

3장. 내리막 코스

4장. 발견! 여기는 새로운 코스

1장. 출발! 감정여행

No1. 망설이다

타입　희로애락 중 로(怒)

기본 특성　이리저리 생각만 하고 태도를 결정하지 못하다

주요 스킬　최악의 상황으로 상상하기, 눈 질끈 감고 저지르기

마음회복력　😊 😊 ◯ ◯ ◯

〈망설이다〉가 마음에 생기면 용기가 있어야 '망설이다'를 줄일 수 있다. 용기를 발휘하면 망설임을 멈춘다. 무엇이 되었든 결정을 내리니 마음은 금방 회복된다.

[해설]

〈망설이다〉는 아주 작은 감정이다. 크기가 아주 작은 감정인데도 불구하고 〈망설이다〉가 마음에 생기면 이러지도 못하고, 저러지도 못하며 마음을 쥐고 흔든다. 그리고 마음에 돌을 얹은 것처럼 세상 무겁게 만든다. 〈망설이다〉가 쌓이면 매 순간 갈팡질팡하게 된다. 무엇이 되었든 '해도 될까?'라는 마음에 휩싸인다. 결국엔 아무것도 할 수 없게 되고 자존감이라는 거대한 존재까지 흔들릴 만큼 무거워진다. 무서운 힘을 가진 〈망설이다〉를 잠재우려면 일단 눈 질끈 감고 '고!'를 외치든, 혹은 다시는 뒤를 돌아보지 않는다는 생각으로 '스톱!'을 외치면 된다. 어떠한 선택이든 상관없이 〈망설이다〉는 '용기'와 만나면 최고의 찰떡궁합 감정을 자랑하며, 어떤 길이든 계속 갈 힘을 준다.

10년간 해왔던 일을 그만둔다고 마음먹었을 때 가장 망설였다. '이게 맞나?' 싶었다. 매 순간 갈팡질팡했다. 해왔던 세월을 허투루 쌓은 것은 아닌데, 쌓아온 걸 한순간에 몽땅 날려버리는 건 아닐까 생각했다. 하지만 이제는 더 이상 열정을 불태우기 힘든 이 생활을 지속할 수 있을지 계속 고민이 들었다. 돈을 버는 것과는 별

개의 일이었다. 사회생활을 하며 모든 순간이 재밌고, 모든 순간마다 열정을 불태울 순 없다는 것을 잘 안다. 재미있고 열정을 불태우는 것이 돈을 벌게 하는 일이 아니라는 것도 안다. 그래서 더 망설였다. 눈을 질끈 감고 돌아서기로 했다. 그렇게 해왔던 일을 그만두었다.

물론 용기를 냈다고 해도 망설임이 몽땅 사라지는 건 아니다. 여전히 망설이고 있다. 자꾸 왔던 길을 돌아보고 있었다.

Q. 요즘 당신을 망설이게 하는 것이 있나요?

_____

_____

_____

_____

_____

_____

No2. 놀라다

타입	희로애락 중 로(怒)

기본 특성
1. 뜻밖의 일이나 무서움에 가슴이 두근거리다
2. 뛰어나거나 신기한 것을 보고 매우 감동하다
3. 어처구니가 없거나 기가 막히다

주요 스킬 잔뜩 겁먹고 무서워하기

마음회복력

〈놀라다〉가 생기면, 진정되기까지 시간이 필요하다. 다시 평정심을 찾을 수 있는 공간이나 물건이나 음식이 있다면, 마음은 더 빠르게 회복된다.

〈놀라다〉가 마음에 들어오면 가슴이 두근거린다. 때로는 왜 이런 걸로 놀라지 싶어, 어처구니가 없고 기가 막혀 웃음이 나올 때가 있다. 〈놀라다〉가 쌓이면 별일 아닌 일에도 겁이 나서 주춤거린다. 처음엔 〈놀랍다〉로 시작한 마음이 점점 〈무섭다〉, 〈싫다〉 같은 다른 감정들과 조합하고 변형된다. 놀랐을 때는 잠시 마음이 진정될 시간이 필요하다. 다시 평정심을 찾을 수 있는 공간이나 물건, 음식을 찾아보는 것도 좋다. 더 빠르게 마음이 급속 진정되는 효과를 가져다준다.

엄청난 공간이나 대단한 물건, 음식이 필요한 것은 아니다. 이불에 들어가 팔다리를 대(大)자로 뻗고 한참을 퍼덕거리고 나면, 〈놀라다〉 마음이 빠르게 회복되기도 한다. 아직 사람의 온기가 닿지 않아 폭신함을 머금고 있는 이불에 누우면, 누군가 폭 안아주는 느낌도 든다. 마음이 꽤 차분해진다. 이 방법을 한번 써먹어보길 추천한다.

32가지 감정여행 중 이런 일이 있었다. 꾸준히 해왔던 일을 여기서 그만두는 건, 지난날이 아깝지 않겠냐고 누군가가 물었다. 아무렇지 않다고 했지만, 이건 아무런 일이 아니었다. 그동안 고생했던 세월이 다 물거 품처럼 사라져 버리고 순식간에 아무것도 아닌 사람이 된 느낌이었다. 그렇다면 나라는 사람은 이제 대체 무 엇인가? 라는 생각이 잡아먹고 있을 때, 동생은 말했다. "언니가 그동안 해왔던 시간은 여전히 그대로 있어. 그 세월을 시작으로, 지금은 언니를 더 넓혀 가는 시간인 거야." 그 얘기를 듣고 나니, 뒤통수 맞은 것처럼 머리 가 댕-하고 울렸다. 하려는 일이 달라지는 것일 뿐인데 인생 전체를 리셋하고 다시 시작하려고 했던 나를 봤 다. 이 순간 많이 놀랐다. 대체 어디까지 인생을 지우고 다시 시작하려고 했던 것이지?

그렇게 느낀 놀라움은 앞으로 어디까지 삶을 넓혀갈 수 있을지 생각하게 했다. 이 놀라움 가득 안고, 아직 아무도 눕지 않은 이불에 다시 누웠다. 여러 생각들로 가득 차 있어 놀랐던 마음을 이불이 잠시 폭 안아줬고 진정시켜주었다.

Q. 당신을 놀라게 한 3가지만 적어본다면?

No3. 뿌듯하다

(타입) 희로애락 중 희(喜)

(기본 특성) 기쁨이나 감격이 마음에 가득 차서 벅차다

(주요 스킬) 어디서나 당당하게 걷기

(마음회복력) ☺ ☺ ☺ ☺ ☺

＜자랑스럽다＞와 만나면 찰떡궁합 감정이 된다. 슬프고 힘
든 마음이 들어도, 뿌듯함 덕분에 금방 회복하고 이겨내게
된다. 무엇이든, 어떤 일이든 할 수 있게 하는 힘이 있다.

[해설]

〈뿌듯하다〉의 감정 크기는 생각한 것보다 크고 넓다. 그래서 〈뿌듯하다〉가 마음에 들어오면 걸음걸이부터 온몸의 자세까지 모두 달라진다. 어깨는 쫙 펴고, 턱은 들고, 발걸음은 가벼워진다. 게다가 뿌듯함이 한번 생기면, 그 어떤 슬픔과 힘듦이 찾아와도 뿌듯했던 순간의 힘으로 마음을 금방 회복하게 된다.

한라산에 오른 적이 있다. 평소에 산을 자주 다녔던 사람도 아니라서 '갈 수 있을까?'라는 걱정과 '그까짓 것 왜 못 가? 한라산 다녀온 사람이 이렇게 많은데!'라는 열정이 가득했다. 한라산 오르는 당일 새벽. 분홍빛의 신비한 하늘을 보니 '여긴 꼭 가야만 하는 곳'이라는 생각이 들었고 설렜다. 왠지 여길 다녀오면 앞으로 무엇이든 할 수 있을 거라고 생각했다. 하지만 현실은 역시나 힘들었다. 뒤지게 힘들었다. '더 올라갈 수 있을까' 생각이 온통 뒤덮었다. 어마어마한 한라산의 위엄을 몰랐을 때, 워낙 긴 산행이다 보니 올라가면서 앞날을 계획하고, 마음을 다잡으려고 했다. 더불어 머릿속을 떠돌고 있던 생각들도 정리하려고 했다. 어림도 없지. 내 생을 정리할 뻔했다. 그만큼 힘들었다. 결국 올라가는 내내 아무 생각하지 않았다. 머리를 비웠다. 가지고 왔던 생각 보따리는 이 한라산에서 욕심이었다. 오직 무사히만 다녀오자고 생각했다.

한참을 오르다가 숨이 턱 끝까지 찼다. 잠깐만 쉬려고 얼마나 올라왔는지 뒤돌았는데 그때 눈물 날만큼 멋있는 풍경을 보게 되었다. 어디서도 볼 수 없었던 멋진 풍경이 있었다니! 한라산 정상도 말해 뭐해 싶은 절경이고 장관이었지만 험난한 계단 지옥을 오르다가 딱 뒤돌았을 때 봤던 풍경은 아직도 잊기 힘들다. 살면서 인상 깊은 한 장면으로 남아있다. 몸으로 직접 〈뿌듯하다〉를 만난 순간이었다. 비워진 머릿속과 마음속은 작은 뿌듯함이 저절로 가득 차기 시작했다. 해냈다는 뿌듯함, 힘들어도 계속 가고 있다는 뿌듯함, 포기하지 않았다는 뿌듯함, 무사히 왔다는 뿌듯함 등등. 작은 뿌듯함끼리 서로 합쳐져 거대한 뿌듯함으로 마음에 자리 잡았다.

새로운 일을 시작하며 빨리 결과를 보고 무엇이든 다 해내야겠다는 욕심만 앞섰다. 마음처럼 결과가 나지 않아 속상했던 순간마다 한라산을 올랐던 때를 떠올렸다. 매일 '하루'라는 산을 오른다고 생각하고 이 하루의 작고 사소하지만 뿌듯한 순간은 언제였는지 떠올렸다. 속상할수록 오히려 더 떠올렸다. 그 뿌듯함이 모이면 왠지 더 큰 뿌듯함을 데려올 것만 같았다.

하루 한 번 운동을 했다, 뿌듯하다.
맛있는 한 끼를 챙겨먹었다, 뿌듯하다.
따뜻한 차를 한 잔 챙겨먹었다, 뿌듯하다.

No4. 부럽다

타입	희로애락 중 로(怒)
기본 특성	남의 좋은 일이나 물건을 보고 자기도 그런 일을 이루거나 그런 물건을 가졌으면 하고 바라는 마음
주요 스킬	무한 비교하기, 자존감 깎아먹기
마음회복력	☺ ☺ ☺ ◯ ◯

열정과 만나면 '나도 저 사람처럼 되어야겠다.'라는 마음이 생기며 나아갈 힘이 생긴다. 찰떡궁합 감정! 반면 질투와 만나면 최악의 궁합 감정! 심지어 남을 해치려는 마음이 들 수도 있다.

[해설]

〈부럽다〉는 옆으로 길쭉한 모양의 감정이다. 자기 자신을 보지 못하고, 남을 더 좋아한다. 끊임없이 남을 곁눈질로 보다가 결국 길쭉하게 늘어났다. 감정을 길쭉하게 늘려가다가 '열정'과 만나게 된다면, '나도 저 사람처럼 되어야겠다!'라는 마음이 생긴다. 그 마음으로 해나갈 수 있게 된다. 반면, '질투'와 만나면 점점 자신을 갉아먹으며 꼭 지키고 있어야 할 자존감까지 해친다. 이 마음이 깊어지면 심지어 남을 해치려는 마음마저 들게 된다.

〈부럽다〉가 생기면 얼굴에 그대로 부러움이 한껏 드러나는 편이다. 대여섯 살쯤, 놀이공원에 갔다가 비눗방울이 나오는 총을 보고 그게 부러워서 사달라고 졸랐던 적이 있다. 엄마는 비눗방울 총을 사주지 않았고, 그때 부러움이 얼굴로 그대로 올라와 심통이 난 채로 기념사진을 찍은 적이 있었다. 이렇게 부러움이 하나둘 생겼고, 이외에도 살면서 크고 작은 〈부럽다〉가 자주 나타났다.

지금도 〈부럽다〉는 어김없이 생겼다. 한 분야에서 꾸

준히 일하며 충분히 제 몫을 해내면서도 부러움이 올라왔다. 나 자신을 지켜보기보다는 더 잘 해내는 남을 봤다. 사회생활 시작 후 처음으로 쉼이라는 것을 가질 때, 작아질 것 같았던 부러움은 의외로 더 커졌다. 쉬지 않고 전력 질주로 달리다가 갑자기 멈추니 어찌 쉬어야 할지 몰랐다. 나를 돌봐야 할 때, 또 남을 곁눈질로 봤다. 잘 쉬는 사람이 부러웠다. 잘 쉬고 난 후, 다시 자기 길을 찾아가는 사람도 부러웠다. 심지어는 부러움이 점점 커져 새로운 길로 가보겠다고 결심한 마음마저 들쑤셨다. 그동안 몸담았던 분야에서 오랜 기간 자기의 경력을 쌓는 사람들이 부럽기 시작했다. 그들은 그들의 영역이 있는 것이고, 나는 나의 영역이 있는 것인데도 자신을 의심하며 자존감을 갉아먹기 시작했다.

새롭게 길을 찾아가고 있으면서도 부러워했던 순간이었다.

Q. 이것만큼은 남부럽지 않은 게 있다면?

No5. 부담스럽다

부담

타입 : 희로애락 중 로(怒)

기본 특성 : 어떠한 의무나 책임을 져야 할 듯한 느낌이 있다

주요 스킬 : 모든 일을 내 일처럼 짊어지기, 자기검열

마음회복력 : 😊 😊 ◯ ◯ ◯

마음에 담아두지 않고 얼른 덜어내야 마음 회복력이 빠르다. 부담을 덜어내는 방법은 아직 탐구 중이나 별일 아니라고 상상하고 반복해서 마음속에 주문을 거는 것이 가장 빠르다.

[해설]

〈부담스럽다〉는 감정 속에 주머니를 가지고 있다. 누가 다 짊어지라고 한 것도 아닌데, 세상 모든 짐을 주머니 속에 다 넣는다. 무게는 상당하다. 〈부담스럽다〉 주머니의 크기를 살피지 않고 부담을 넣게 되면 결국 그 주머니가 찢어지게 되는데, 찢어진 걸 알면서도 한번 부담을 갖기 시작하면 덜어내기가 쉽지 않다.

감정여행이 시작되기 한참 전부터 〈부담스럽다〉를 마음속 주머니에 잘 모았다. 더하기를 배우면, 곱하기까지 바로 잘 해내는 사람이 되고 싶었고 그냥 잘 해내는 것도 아니고 항상 100점을 맞아야 속이 시원했다. 그렇다고 매번 100점 생활은 아니었다. 한 번의 실패도 좌절은 크게 다가왔다. 좌절 후 다시 마음을 회복하는데 항상 꽤 많은 시간이 걸렸다. 이 회복의 시간도 아까워 마음에 다시는 좌절이 생기지 않으려고 재촉하고 다그쳤다. 야속하게도 좌절은 종종 찾아왔고, 다그침도 또 반복됐다. 이런 점이 잘 살고 있다고 생각하고 착각했다. 대학에 간 뒤, 빨리 사회로 가고 싶었다. 졸업도 하기 전에, 나 자신을 재촉하고 다그쳐서 대학교 3학년 때 서울로 가서 취업했다. 학교에 다니며 일을 병행했다. 부담이 담긴 주머니는 점점 터질 듯했다. 그런데도 계속해서 부담을 계속 마음속에 넣었다. 몸담고 있던 집단에서 빨리 일을 배워서 이렇다 할 사람이 되고 싶었다. 일하면서 성과를 냈을 때도, 잘 해낸 상황을 응원하고 다독이고 즐기는 것 없이 계속 앞만 보고 달렸다. 그렇다고 지금 엄청난 사람도 아니고 나 없이 이 세계가 안 돌아가는 것도 아니었다. 쿠폰 모으듯 부담을 차곡차곡 모아가며 지금이 되었다.

누가 나에게 항상 잘 해내라고, 더 완벽해지라고 말했던 사람은 없었다. 계속 달렸던 것은 부담을 덜어낼 줄 몰라서 그랬던 것 같다. 이런 게 바로 〈부담스럽다〉인 줄도 모르고 계속 달려와서 그랬을지도 모른다. 이제는 부담을 덜어내고 싶었다.

일을 그만하겠다고 과감하게 결정하면 부담을 조금이라도 덜어낼 줄 알았다. 부담을 더는 것조차 마음대로 되지는 않았다. 예상했지만 부담을 줄이기는 쉽지 않았다. 지금껏 꾸준히 해왔으니, 당연히 앞으로도 이 분야에서 세월을 계속 채워갈 줄 알았기에 인제 와서 어떤 새로운 걸 할 수 있을까 생각했고 그것이 부담스러웠다. (흔히 하는 생각일 수 있지만) 새로운 걸 하기

엔 너무 늦은 건 아닐까도 생각했다. 과감하고 용기 있다고 생각한 새로운 선택이 앞으로의 삶을 계속 책임질 수 있을까도 생각했다. 부담이 쌓였고 자기검열이 시작됐다.

이러다가 〈부담스럽다〉를 담은 주머니가 찢어지는 건 아닐까 걱정했다. 이미 마음 한구석엔 구멍이 생기고 부담이 담긴 주머니는 심지어 찢어졌을 수도 있다. 솔직한 마음으로는 그 주머니가 아예 찢어버리면 편안해지지 않을까도 생각했다.

No6. 지겹다

타입   희로애락 중 로(怒)

기본 특성   넌더리가 날 정도로 지루하고 싫다.

주요 스킬   '나 안 해!' 선언, 무표정으로 일관하기

마음회복력   ☺ ◯ ◯ ◯ ◯

〈지겹다〉를 없애려면 마음속에 망치가 필요하다. 작지만 강한 망치로 쌓였던 지겨움을 부수고 나면 〈재밌다〉가 생긴다. 때로는 지겨움을 느껴야 새로 해나갈 힘이 생겨나기도 한다.

[해설]

〈지겹다〉가 마음에 들어오면 그 어떤 것이 보여도 신경 쓰지 않는다. 이걸 시작으로 지겨움이 점점 쌓이면 무기력하게 된다. 아무것도 하기 싫고, 계속 누워있고 싶다. 한숨이 절로 푹푹 나온다. 지독한 지겨움에서 벗어나려고 해보지만, 한 번에 없애는 것이 쉽지 않다.

〈지겹다〉에서 벗어나고 싶다면, 무언가를 하려는 움직임이 필요하다. 마음속 망치로 지겨움을 부수면 금방 지겨움에 벗어날 수 있다.

〈지겹다〉가 마음에 생기면, 없애야 할 감정이라고만 생각했다. 하지만 돌이켜 생각해보면 새로운 도전에 앞서서는 늘 〈지겹다〉가 있었다. 대학에 가서도 학교에서 배우는 공부가 지겨워 사회로 얼른 나가고 싶었다. 지겨움 덕분에 더 빠르게 사회로 나갈 수 있었다.

그동안 방송작가로 일했다. 예능 프로그램에서 일하며 늘 재미있고 새로운 것을 찾아야 하고, 만들어야 했다. 다행히 일하면서 끊임없이 재미를 찾는 일에 즐거워했던 덕분에 지겨움 없이 꾸준히 할 수 있었다. 밤낮없이 일하고 나만의 시간이 없어도 좋았다. 일에 치이고, 사람에 치이고, 많은 돈을 벌지 않아도 재미있으니 견딜 수 있었다. 방송작가들의 흔한 농담 중 원수의 자식을 방송작가로 시켜야 한다는 말이 있을 정도로 고되지만, 이 생활도 모두 재밌었기에 할 수 있었다. 모든 일이 다 그렇듯 항상 재미만 쫓을 수는 없었다. 경력이 쌓일수록 내가 찾아다니는 재미와 현실과 타협해야 하는 순간이 있었다. '재미는 무슨. 돈이나 벌자.' 싶은 마음으로 하루를 임했다. 그렇게 재미를 참으면서 일했지만 억만장자가 되는 것도 아니었다. 경력이 더 쌓이면 다를까 싶어 계속 버텨보았지만, 이제는 '재미'가 잘 보이지 않았다. 하루하루 버티고만 있다는 생각이 들었고 점점 〈지겹다〉가 피어오르기 시작했다. 한번 지겨움이 생기니, 이런 마음으로 버티고 있는 게 싫었다. 마음속 망치를 들고 지겨움을 톡톡 두드리기 시작했고 지겨움에 금이 가기 시작했다.

더 재미있는 것을 찾기 위한 여정은 다시 펼쳐졌다. 지겨움을 느끼니 무언가를 또 새로 시작하고 시도할 수 있었다. 〈지겹다〉는 새로 무언가를 해볼 용기를 주는 감정이다. 지겨움은 마음속 작은 망치를 움직이게 한다. 지겨운 무언가가 생겼다면, 마음속 망치를 들고 지겨움에 금이 가도록 톡톡 두드려본다. 분명 더 재미난 순간이 찾아올 것이라고 믿어본다.

Q. 당신의 <지겹다> 언제였나요?

_____

_____

_____

_____

_____

No7. 만족하다

타입) 희로애락 중 희(喜)

기본 특성) 1. 흡족하게 여기다 2. 마음에 흡족하다
3. 모자람이 없이 충분하고 넉넉하다

주요 스킬) 여유 넘치기, 대인배 되기

마음회복력) 😊 😊 😊 😊 😊

힘든 마음이 있다면 <만족하다> 하나로 언제든 회복이 가능!

[해설]

〈만족하다〉가 마음에 들어오면 빈틈없이 마음을 꽉 채운다. 부정적인 감정이 비집고 들어올 틈이 없다. 만족함만 있다면 힘든 마음은 언제든 회복이 된다. 흐뭇한 웃음이 나오고, 없던 여유도 저절로 생긴다. 또한 더할 나위 없이 행복한 마음이 찾아오며 누구 하나 부럽지 않은 상태가 된다.

좋아하는 것이 생기면 온 힘 다해 끝까지 좋아해야 그것과 헤어져도 다시는 미련 없었다. 나는 온전히 〈만족하다〉를 즐겨야만 떠날 수 있고 돌아설 수 있는 사람이다. 그동안 방송작가 생활을 하며, 여러 프로그램에서 일했다. 남녀노소는 물론 심지어 동식물과도 함께 일했다. 육해공 장소를 가리지 않고, 국내며 해외며 여기저기 다녔다. 쌓아온 경력 동안 하고 싶었던 걸 다 했다고 생각하니 〈만족하다〉 마음이 생겼다. 물론 아직도 내가 모르는 분야가 많고 더 달릴 곳도 가득할 테지만, '이만하면 됐다!'라고 생각하며 만족함이 어느새 깊게 스며들고 있었다. 사실 더 나아가고 싶은 순간들도 많았다. 아쉬움이 전혀 없다고 할 수 없으므로 그만두는 것을 단박에 결정 내리기가 참 어려웠다. 그래도 〈만족하다〉 덕분에, 이 분야에서 모든 걸 다 해내지 못하고 모두 내 것이 되지 않더라도, 큰 욕심 부리지 않고 더 바라지 않기로 했다.

"잘~~ 놀다 갑니다!"

그동안 쌓아온 세월을 바탕으로, 이제는 내 이야기를 꺼내고 싶었다. 그렇게 만족함과 함께 새로운 길로 들어서고 있다.

Q. 지금 만족하며 살고 있나요? 요즘 어때요?

2장. 오르막 코스

No8. 두근거리다

(타입) 희로애락 중 락(樂)

(기본 특성) 몹시 놀라거나 불안하여 가슴이 자꾸 뛰다

(주요 스킬) 얼굴 빨개지기, 과감하게 한 발짝 가기

(마음회복력) ☺ ☺ ☺ ☺ ○

과감한 선택을 할 때, <두근거리다>는 어느새 <설레다>를 만나게 된다. <설레다>와 만나면 찰떡궁합 감정! <긴장되다>와 만나면 최악궁합 감정이 된다. 오히려 일을 망친다.

[해설]

〈두근거리다〉는 크기가 커졌다 작아졌다 계속 움직이는 감정이다. 무언가를 시작할 때는 항상 두근거림이 찾아온다. 이 감정을 잘 활용하면 〈설레다〉와 함께 찰떡궁합 감정이 되어 무언가를 자꾸 하고 싶게 만든다. 움직이게 만든다. 반면, 〈긴장하다〉와 만나면 이 두근거림 때문에 오히려 일을 망칠 때도 있다. 그럴 땐 최악의 궁합 감정이 된다. 〈두근거리다〉를 어떻게 잘 활용할 수 있을지에 대해 생각하면 또 두근거릴 수 있다.

소속된 울타리 없이 혈혈단신 프리랜서 창작자가 되겠다고 생각할 때 〈두근거리다〉가 찾아왔다. '드디어 내 것을 하는구나!'라는 생각과 '대체 앞으로 뭘 할 수 있을까' 생각이 동시에 들었다. 이때 마음에 찾아왔던 두근거림은 오묘하게 느껴졌다.

언제나 하고 싶은 게 많았고, 넘치는 생각들을 이제는 세상 밖으로 꺼내 보고 싶었다. 그러려면 온갖 두근거리는 순간으로 들어가야 했다. 더 이상 겁을 내서는 안 됐다. 다른 걸 해보겠다는 과감함이 어디서 나왔을지 모르겠지만, 제대로 마음먹은 만큼 무엇이든 일단 해보기로 했다.

〈두근거리다〉 속에 나를 던졌다. 더 많은 변수와 더 많은 변화 속에 들어갔다. 첫 시작은 동생과 함께 전국을 다니며 '빵 여행'을 다녔고 그 여행을 기획했다. 그 다음엔, 내가 가장 좋아하는 '엄마가 만드는 집밥'을 촬영했고 그 영상을 편집했다. 그리고 유튜브에 엄마의 요리법을 업로드 했다. 또 그 다음에는 쌓아왔던 '감정을 기록'하며 글쓰기를 시작했다. 〈두근거리다〉 속에 몸을 던지고 나니, 무언가를 하면 할수록 그 세계는 커져갔고 계속 꼬리에 꼬리를 물었다. 점점 진짜로 하고 싶었던 이야기가 펼쳐지고 있다고 생각했다. (요새 사람들은 모르겠지만) 마치 시대를 앞서간 종합예술인 '홍서범'처럼 종합예술인이 되어가는 느낌이다. 이제 춤과 노래만 할 줄 알면 진정한 종합예술인이 될 거다 (웃음).

매일이 두근대고 설렐 수는 없다. 사실 매 순간 두근대면 죽을지도 모른다. 덜덜 떨려서 어찌 살까. 하지만 이번 〈두근거리다〉는 어쩐지 설레고 좋았다. 새로운 길로 가는 발걸음이 좋았고, 계속 걷고 싶어졌다. 두근거리고 싶어졌다!

Q. 당신을 두근거리게 한 것은 무엇인가요?

No9. 신나다

타입 희로애락 중 락(樂)

기본 특성 어떤 일에 흥미나 열성이 생겨 기분이 매우 좋아지다

주요 스킬 웃음꽃 활짝 피기, 내적댄스

마음회복력 ☺ ☺ ☺ ☺ ☺

내가 신날 수 있는 순간을 끊임없이 찾아다니면 〈신나다〉는
금방 찾아온다. 아주 작은 〈신나다〉의 순간이라도 괜찮다.

[해설]

〈신나다〉가 마음에 생기면 마치 춤을 추고 있는 것과도 같다. 이 마음을 주체하지 못하고 몸은 들썩이고 얼굴에는 웃음꽃이 활짝 핀다. 동시에 〈설레다〉, 〈두근거리다〉 같이 마음이 간질거리는 감정들도 생겨난다. 마음이 신날 땐 이 자체로 마음 회복이 된다. 힘들었던 마음이 있었다면 〈신나다〉 하나만으로도 괴로운 마음을 말끔히 씻을 수 있다.

산을 다니기 시작했을 때 〈신나다〉 감정이 많이 생겼다. 일을 쉬게 되면서, 쉬면서도 어떻게 쉴지 몰라 헤매고 있을 때 무작정 산을 다녔다. 산을 잘 모르니 산을 가리지 않고 여기저기 다녔다. 동네 뒷산도 가고, 한라산도 가고, 청계산, 인왕산, 광교산 등등 높이를 가리지 않고 여러 산을 다녔다. 오르는 순간에는 힘들지만 다 오르고 나면 뿌듯하고 신났다. 산을 더 잘 오르려고 장비를 하나둘 갖춰 갈 때도 신났다 (이런 점이 더 신났을지도 모른다). 산을 오르며 바람을 느끼고 햇빛을 느끼고 숲을 즐겼을 뿐인데, 지쳤던 마음들과 여러 고민을 산에 두고 왔다. 마음은 한결 가벼워졌고 점점 〈신나다〉로 채워갔다.

산을 다니다 보면 울퉁불퉁 돌길도 걷고, 질퍽한 진흙길도 걷고, 잘 닦여진 길도 걸었다. 숨이 꼴딱 넘어갈 것 같은 오르막길도 만나고 때로는 낭떠러지도 만났다. 그러다가 내리막길이 나오면 마냥 쉽고 편할 줄 알았는데 끝도 없이 이어지는 내리막길에 오히려 지칠 때도 있었다. 산을 다니며 만난 이 길들은 마치 지금 가고 있는 인생의 축소판처럼 느껴졌다. '인생 왜 이렇게 흘러가지?' 싶다가도 예상치 못하게 잘 풀릴 때도 있고, 잘 가고 있다고 생각했는데 그게 오히려 발목을 잡을 때도 있었다. 인생길을 눈앞에서 볼 수 있다면, 바로 이런 산길이지 않겠냐는 생각을 하게 됐다. 살아갈 때는 앞으로 뭐가 펼쳐질지 몰라서 무섭고 두려운데, 인생길 같은 산을 오를 때는 그렇게 신이 났다. 반대로 생각해보면 인생을 살아갈 때도 '산을 오를 때처럼 신이 날 수 있겠구나'라는 생각도 해보게 됐다. 물론 안타깝게도 아직은 그 단계까지 이르지는 못 했다. 살아가면서도 늘 신이 난다면, 그건 신일 듯 (웃음).

뭐가 되었든 좋다. 〈신나다〉를 만나는 순간이 생기는 건, 정말 신나는 일이다!

Q. 당신을 신나게 하는 곳은 어디인가요?

No10. 즐겁다

타입 | 희로애락 중 락(樂)

기본 특성 | 마음에 거슬림이 없이 흐뭇하고 기쁘다

주요 스킬 | 하고 싶은 걸 마음껏 상상하기

마음회복력 | ☺ ☺ ☺ ☺ ☺

그 어떤 힘든 마음도 해치워 버릴 수 있는 회복력이 있다. 다만 가장 즐거운 순간, 마치 찬물을 끼얹은 것처럼 즐거움이 한 번에 터져버릴 때가 있는데 그때만 조심하면 된다.

  〈즐겁다〉의 감정 크기는 처음에는 아주 작다. 하지만 〈즐겁다〉의 실제 크기는 그리 작지 않다. 마음에 즐거움이 들어왔다고 느끼는 순간, 풍선처럼 즐거움은 점점 부풀어간다. 즐거움엔 끝이 없고 즐거움은 즐거움을 낳는다. 즐거움이 부풀어 오를 땐, 더 즐거울 순간을 떠올리며 하고 싶은 것이 계속 생겨난다. 다만 이때 이 즐거움에 찬물을 확 끼얹는 일이 생기면 즐거움으로 가득 찬 마음은 한 방에 '뻥!' 하고 터져버릴 수는 있다. 이 점을 조심하자.

  동생과 전국 방방곡곡 빵 여행을 다니고 그 여행을 영상과 그림으로 기록하고 있다. 아직은 오랫동안 쭉 떠나있는 장기 여행을 하는 것은 아니지만, 짧게 다녀와도 아주 큰 〈즐겁다〉를 안겨준다. 우리 자매가 이렇게 즐거움을 서로 나누게 된 건 사실 얼마 되지 않았다. 몇 년 전, 함께 6~7년 동안 서울에서 자취를 했다. 그때 우린 서로 괴로움을 나눴다. 분명 즐거웠던 순간도 많았지만, 사회생활에서 생긴 괴로움을 나누는 게 더 급했다. 그렇게라도 그 순간 함께 있는 서로에게 이 괴로움을 털어놓지 않으면, 속이 터져버릴 것 같았다. 그때의 힘듦을 충분히 나눴기에, 지금 즐거움을 나눌 수 있고 점점〈행복하다〉로 번져가는 건 아닐까 싶기도 하다.

여행길에 오르며 앞으로 무엇을 하고 살지, 지금은 어떤 걸 하고 싶은지에 대한 이야기를 많이 나눈다. 이 여행길 끝에는 분명 더 즐거울 순간이 많을 거라고 상상해보면 또 〈즐겁다〉가 마음에 스며든다. 아직은 이 여행이 현실적인 부분에서 명쾌하게 충족되지 않는다. 진심으로 즐거움이 담기면 현실적인 부분도 따라올 거라고 생각한다. 돈이 되지 않는 이 생활을 계속한다는 마음가짐에 대해 철없고 무모하다고 누군가는 말할 수 있다. 또한 이 여행이 먼 훗날 결과적으로 좋을지, 좋지 못할지 한 치 앞도 모른다. 사실 너무 걱정된다. 돈 때문에 이 즐거움이 깨질까 봐 무서울 때도 있다. 그래도 일단 가보기로 했다. 왜냐하면 다시는 돌아오지 않을 지금이니까! 우리가 반짝일 수 있는 지금을 만날 수 있어서 그게 참 좋고 감사하고 즐겁다.

제주를 시작으로, 서울, 수원, 부산, 대전, 강릉, 경주, 목포, 대구 등등 우리의 여행은 점점 더 넓어지고 있다. 이 여행 속에서 소중한 인연들까지 만나게 되는데 그 또한 즐겁고, 감사하다. 앞으로는 빵으로 전국

일주를 하고, 세계 일주까지 해보는 그날을 꿈꿔본다.

지구는 둥글고,
세계는 넓고,
우린 젊다!

젊음이 즐겁고, 할 수 있다는 이 마음이 즐겁다.

Q. 최근 당신을 즐겁게 한 3가지만 적어본다면?

No11. 어색하다

타입 : 희로애락 중 로(怒)

기본 특성 :
1. 만나고 싶지 않던 사람과 마주 하여 부자연스럽다
2. 대답하는 말 따위가 경위에 몰리어 궁색하다
3. 격식이나 관습 따위에 맞지 않아 부자연스럽다

주요 스킬 : 깡통로봇처럼 삐걱거리기

마음회복력 : 😊 😊 😊 ⚪ ⚪

어색한 순간에서 벗어나려면 일정한 시간이 필요하다. 그 시간이
지나고 나면 긴장이 풀어지며 <어색하다>도 자연스럽게
회복할 수 있다.

[해설]

〈어색하다〉는 감정에 투명 망토를 쓰고 있는 것처럼 평소에는 눈에 잘 보이지 않는다. 마음에 〈어색하다〉가 들어오면 바로 체감이 가능한 감정이다. 어찌할 줄 모르고, 옛날식 깡통 로봇이 된 것처럼 삐걱거리게 된다. 보이지 않는 벽까지 생기게 한다. 〈어색하다〉라는 벽을 느끼면 밖으로 쉽게 빠져나올 수 없다. 어색함에서 벗어나려면 일정한 시간이 필요하다. 사람에 따라 〈어색하다〉에서 벗어나는 시간은 천차만별이다. 강제로 어색함에서 벗어나려 하다가는 더 깊은 〈어색하다〉를 맞이하며 더 역효과를 낸다. 가장 빠르게 어색함에서 벗어나려면 〈편안하다〉 감정을 만나거나 차라리 어색한 순간을 인정하고 솔직하게 '어색해요'라고 말하면 오히려 빠르게 긴장이 풀어질 때가 있다.

요즘 뭐 하고 지내냐는 말을 들을 때 〈어색하다〉를 가장 크게 느꼈다. 평소라면 직업명을 밝힌 후, 요즘 어느 방송국에 있는지 얘기했을 거다. 하던 일을 그만두고 말할 수 있는 직업명을 잃게 된 후, 뭐 하고 지내냐는 말에 말문이 막혔다. 뭐 하고 지내는지에 대해서 명쾌한 한 마디로 끝내지 못하고 말이 길어졌다. 구구절절 말하는 순간, 어색함이 바로 찾아왔다. 여태 잘 걸어왔다고 생각했는데 다시 걸음마를 배우는 느낌이 들었다.

이런 어색한 마음을 깊이 품고 지내던 와중에, 진짜로 걷는 자세를 배우고 고쳐보려고 노력한 적이 있었다. 그동안 지독한 팔자걸음으로 살아왔는데, 팔자걸음은 보기에도 안 좋고 건강에도 안 좋다며 꼭 고쳤으면 한다는 엄마의 잔소리가 있었다. 꾸준히 팔자걸음으로 걸어온 탓에 단번에 일자로 바르게 걷는 일은 쉽지 않았다. 온몸에 힘을 줬고 특히 발 안쪽에 힘을 주고 걷게 되었다. 걷고 있다는 일상적인 행동이 이상하게 느껴졌다. 뭐 하고 지내냐는 말을 들었을 때처럼 어색했다.

이 모습을 보고 지금 뭐 하는지 묻는다면 "그냥 좀 걷고 있어."라고 말할 것 같다. 굳이 "제가 팔자걸음으로 살았는데요, 그게 목부터 무릎, 골반까지 변형되고 척추관을 좁혀 척추관 협착증도 생길 수 있대요. 게다가 무릎 안쪽 연골이 빠르게 닳아 젊은 나이에도 퇴행성관절염까지 초래한대요. 그래서 일자로 걸으려고 하고 있거든요? 근데 그게 쉽지는 않은데...(생략)" 라고 줄줄이 읊지 않을 거고, 말을 더 보태지도 않을 거다.

그런 것처럼 '요새 뭐해?'라는 말에 다 설명이 필요

없고 나 자신도 어색해할 필요 없다고 생각했다. "일하고 있어요." 혹은 심지어 더 단순하게 "뭐 하고 있어요." 한 마디로 설명은 끝날 수 있다. 어떤 직업을 하든, 무슨 일을 하든, 계속 앞으로 가고 있다. 어색하지 말고 가보기로 했다. 차라리 요새는 "이걸 어디서부터 얘기해야 하는지 모르겠지만... 제가 말이죠..." 라는 말로 근황을 소개하기 시작한다. 대체 어디까지 말이 길어지며 얼마나 많은 이야기로 구구절절 소개할 수 있을지가 궁금해졌다.

No12. 걱정되다

(타입) 희로애락 중 애(哀)

(기본 특성) 안심이 되지 않아 속이 타다

(주요 스킬) 위험한 상상력 증가

(마음회복력) 😊 😊 😊 ⚪ ⚪

눈앞에 놓인 걱정을 없앤다고 모든 걱정은 사라지지 않는다. 때로는 걱정이 있어야 신중하고 위험에도 대비할 수 있다. 너무 걱정하지 말자.

[해설]

〈걱정되다〉는 이리저리 엉켜있는 모양의 감정이다. 잔뜩 엉켜있는 걱정을 풀어낼 때 엄청나게 조심스럽고 신중해진다. 〈걱정되다〉를 풀기 위해 걱정을 계속 들여다보게 된다. 계속 들여다보면 걱정은 걱정을 낳고, 보따리에 걱정을 넣을 만큼 걱정이 늘어난다. 걱정을 없애기 위해서는 걱정하던 일을 막상 겪으면 쉽게 없어질 때가 있다. 생각보다 별일이 아닐 때가 있어서 허무하게 걱정이 사라지기도 한다. 때로는 과감하게 마음속에 있는 가위로 〈걱정되다〉를 잘라버리는 게 걱정을 없애는 가장 빠른 방법이다. 하지만 당장 걱정을 다 없앴다고 앞으로의 걱정이 완전히 사라지는 건 아니다. 오죽하면 티베트 속담에 '걱정해서 걱정이 없어지면 걱정이 없겠네.'라는 말이 있을까! 또 다른 걱정이 스멀스멀 올라온다. 대신 걱정하는 마음을 잘 활용한다면, 걱정하는 것에 대해 신중할 수 있고 위험에도 대비할 수 있다.

걱정 보따리를 늘 짊어지고 다닐 만큼 한 걱정하는 사람이다. 나의 걱정 보따리는 사실 대대로 물려받았다. 이 걱정 보따리는 외할머니 때부터 시작되었다. 해가 졌을 때, 가족 중 한 명이라도 집에 모두 있지 않으면 무슨 일이 생길까 걱정이 깊어 잠을 못 주무실 정도였다. 엄마도 그 걱정 보따리를 물려받아 걱정이 많았다. 더 커진 보따리를 나도 물려받아 만만치 않은 걱정 보따리를 가졌다. 새로운 분야에서 일하며 '새로움'을 맞이해야 하는 순간이 잦아졌는데 그때마다 걱정은 끝도 없이 늘어났다. 아래는 끝도 없는 걱정 보따리 중 일부다.

진짜로 하고 싶은 걸 하면서 살아도 될까? 하고 싶은 걸 다 하고 사는 건 욕심일까? 언제까지 하고 싶은 걸 할 수 있을까? 창작하는 일을 끊임없이 끊이지 않고 할 수 있을까? 그렇다면 이걸로 돈은 언제 벌 수 있지? 과연 돈 버는 날이 올까? 하던 일을 계속해야 했던 건 아닐까? 이렇게 해서 독립할 수 있을까? 영원히 부모님 품에서 캥거루족으로 살게 되는 건 아닐까? 등등 걱정은 계속 피어올랐다. 이것 말고도 끝도 없다. 너무 놀랄까봐 이만 줄였다.

모든 걱정들을 다 모아보면 하나의 공통적인 걱정으로 모아졌는데, 그것은 '할 수 있다는 용기를 잃을까봐' 걱정인 순간이 많았다. 그 용기를 잃는다면 내가 꾸려 나가던 세상을 다 잃는 느낌이 들 것 같았다. 하지만 비극적이게도 걱정할 순간은 끝도 없이 생긴다. 그러니 일단 하자, 그리고 움직이자. 가다 보면 '어라, 이게 되네?'라고 걱정했던 순간이 머쓱해지는 날도 올 것이다. 걱정해도 일단 해보자고, 가보자고!

Q. 요즘 당신의 걱정은? (여기 적고 털어버리세요)

_____

_____

_____

_____

_____

No13. 긴장되다

타입   희로애락 중 애(哀)

기본 특성   마음을 조이고 정신을 바짝 차리게 되다

주요 스킬   사주 경계, 어깨 움츠리기

마음회복력   ☺ ☺ ☺ ◯ ◯

<긴장되다>를 덜기 위해서는 내면에 가진 상상력을 최대한 동원해야 한다. 벌어질 상황에 대한 시뮬레이션 및 '할 수 있다' 무한 반복 상상한다면 긴장은 온데간데없을 것이다.

[해설]

〈긴장되다〉는 마음속 호수에 누군가 계속 돌을 던져 떨림이 느껴지는 감정이다. 〈긴장되다〉가 눈앞에 있다면 한번 손을 살짝 올려보시라.

마치 헬스장에 있는 '덜덜이' 위에 올라가 있는 것처럼 계속 덜덜 떨고 있는 진동이 느껴질 것이다. 긴장을 완화하는 약이 흔하게 팔고 있지만, 약을 먹어도 〈긴장되다〉가 가라앉지 않을 때가 있다. 그럴 때는 약간의 최면(?)이 도움이 될 때가 있다. 머릿속에서 긴장되는 상황을 상상한 후, 벌어질 상황에 대해 시뮬레이션을 한다. 시뮬레이션하며 '할 수 있다'를 반복한다. 마치 최면을 걸듯 생각한다. 긴장이 마음에 들어오면 〈걱정되다〉 감정이 그랬던 것처럼 벌어질 것에 대해 신중하게 대비할 수도 있다.

동네 뒷산을 등산할 때였다. 늘 가던 코스로만 다니다가 출발지와 도착지를 아예 반대로 바꿔서, 도착지에서 출발하고 출발지로 도착하는 코스를 가게 됐다. 늘 가던 길이니 한번 변화를 줘보자는 엄마의 의견이었다. 걸어가는 방향만 바뀌었을 뿐, 길은 늘 가던 길인데 처음 가는 산처럼 새롭고 낯설었다. 반대 방향으로 가다

보니 내리막길이던 길이 오르막길이 되어 더 힘들게 느껴진 구간도 있었다. 길이 낯설게 느껴져 괜한 긴장감까지 생겼다. 한 걸음 한 걸음 조심스러웠고 이리저리 더 살피면서 가게 됐다. 분명 같은 길인데 왜 이렇게 긴장하고 있는 거지? 참 웃겼다. '사람이 참 간사하네.'라고 생각했다. 긴장해서 두리번거리며 걸었던 덕분에, 평소 못 보고 그냥 지나쳤던 것들을 돌아봤다. 알이 꽉 찬 밤을 봤고, 못 봤던 꽃을 봤고, 열매를 먹던 새를 봤고, 도토리를 먹던 청설모를 봤다. 신기하고 재밌는 순간들이었다. 이렇게 가도 괜찮네!

돌이켜보면 새로운 일을 시작할 때도 마찬가지다. 어떤 일을 하든 어차피 최종 목적지는 '잘 살아 보자!' 행복으로 가는 길이다. '하던 일을 계속함'이 아닌 '새로운 길을 감'이라는 방향만 달라진 것이다. 새롭게 걷고 있는 이 길 중에는 어쩌면 이미 걸어본 길도 있을 수 있다. 내가 낯설게 느껴지는 것일 뿐! 이렇게 가도 괜찮네!

이 길의 끝은 어디지?
언제까지 숨차게 오르막길을 올라야 하는 거지?
이쯤 되면 진즉에 다 올랐어야 하는데!

왜 아직도 올라가고 있는 거지?

이 언덕을 올라도 목적지가 나오는 게 아니라

또 올라야 하나? 어떤 길이지?

이런 생각들이 가득하며 긴장할 수 있다. 그래도 잘 가고 있으니, 잘 가고 있는 나를 한 번이라도 더 응원해줘야겠다. 어디로 가든 잘 살 거니까 긴장 덜 해도 되겠다.

No14. 힘나다

타입 희로애락 중 희(喜)

기본 특성 1. 자신감이나 용기가 생기다
2. 근육을 통해 역학적 에너지가 생기다

주요 스킬 온 우주의 기운 모으기

마음회복력 ☺ ☺ ☺ ☺ ☺

현재 고통 받는 마음을 급속 충전하기에는 〈힘나다〉가 제일!
일상에서 〈힘나다〉의 순간을 어떻게든 모아놓고 살자.

〈힘나다〉가 마음에 들어오면 마음에 근육이 붙는다. 이렇게 생겨난 근육은 〈힘들다〉 감정이 들어오면, 언제든 막아낼 수 있는 강철 마음이 되게 한다. 매 순간 힘이 날 수 있는 세상은 아니지만 〈힘나다〉 하나만 있다면 현재의 고통 받는 마음도 급속 충전되어 금방 회복되도록 한다.

같은 직종에서 일했던 인연들과는 하던 일을 계속 하지 않으면 자연스럽게 멀어진다. 사회적으로 아는 사람들이 줄어들면서 겁이 났다. 나를 둘러싼 울타리가 없어진 느낌이었다. 힘이 빠졌다. 극단적이지만 사회적으로는 아무도 만날 수 없겠다고 생각도 한 적도 있다. 그런 생각들로 가득 차 있다가, 얼마 지나지 않아 우연히 새로운 분야의 사람들을 만날 기회가 있었다. 잔뜩 경계했던 나와는 달리, 반갑게 맞이해주었다. 함께 얘기 나누며 좋은 에너지를 주고받았다. 얘기를 하며 그들이 가고 있는 세계도 들여다보았고 몰랐던 세계도 알게 되었다. 그동안 너무 좁은 세상에서 살고 있었다고 끊임없이 느꼈던 순간이었다. 힘이 조금씩 났다. 세상 속에 '함께' 있는 느낌이었다. 점점 다른 세계에 발을 들이면서 용기 내어 한 발짝씩 내디뎌보았다.

그 용기로 한 달간 매일 이뤄지는 글쓰기 모임에도 참여했다. 온라인상의 만남이었지만 '함께' 있다는 것에 든든함을 느끼며 글쓰기를 해보았다. 얼굴도 안 보고 글만 나누었지만 이렇게 응원할 수 있구나, 힘이 될 수 있다는 걸 알아갔다. 그렇게 얻은 힘으로 책 만들기 수업에 참여했고 이렇게 책을 만들고 있다. '책 만들기'라는 공동의 목표로 '함께' 만들어가고 있다는 것에 또 든든함을 얻고 외롭지 않았고 할 수 있다는 마음이 생기고 힘이 났다.

거친 사회생활에서도 버틸 수 있었던 것도 마음에 맞는 '함께' 일했던 동료들이 있어서였다. 힘들어도, 지칠 때도 모두 '함께' 지켜봐 주었던 가족들도 있어서였다. 혼자 살아갈 수 없는 세상이다. '함께'하고 있음에 감사하고 나도 '함께'하고 있는 이들에게 힘을 줄 수 있는 사람이 되고 싶다는 생각이 들었다.

Q. 무엇이 당신을 힘나게 하나요?

No15. 편안하다

타입	희로애락 중 희(喜)
기본 특성	편하고 걱정 없이 좋다
주요 스킬	내면 꺼내기
마음회복력	😊 😊 😊 😊 😊

좋아하는 것들을 곁에 두면 편안하다. 편안하지 못한 상황이 생기면, 편안한 상황으로 가기 위해 아주 작은 것도 좋으니 좋아하는 것들을 찾아보자. 아주 작은 것도 마음 회복에 도움이 된다.

[해설]

　〈편안하다〉는 폭신폭신한 촉감의 감정이다. 〈편안하다〉의 폭신함은 마음에 한 번 들어오면, 빠르게 흡수되고 몸 밖으로도 〈편안하다〉가 나타난다. 눈이 스르르 감기기도 하고, 몸이 축 늘어지기도 한다. 좋아하는 것, 좋아하는 장소, 좋아하는 사람과 함께 있을 때 빠르게 〈편안하다〉 감정을 만날 수 있다. 하지만 늘 좋아하는 것들을 곁에 두고 살 수 없기에 편안하지 않은 상황에 놓일 때가 종종 있다. 불편한 상황이 생기면 편안함으로 바뀌는 데 시간이 꽤 걸린다.

　이럴 때는 〈편안하다〉로 가기 위한 시간이 필요하다는 걸 인지하고 시간을 보내다 보면 어느새 편안함으로 바뀌어 있을 거다.

　그동안 지내왔던 환경과 달라지면서 편안하지 않은 상황에 놓일 때가 많았다. 잔뜩 예민해졌고 자주 화가 났다. 이런 시기를 보내던 어느 날, 내가 운전하는 차를 타고 아빠와 함께 갔던 적이 있다. 대충은 알던 길이라 내비게이션을 켜지 않고 가다가 베테랑 운전자 아빠에게 어디로 갈지 헷갈려 길을 묻게 됐다. 아빠에게 길을 물으면 항상 돌아오는 대답은 이랬다. "우(右)로 가도 되고~ 좌(左)로 가도 되고~ 직진해도 되고~ 유턴해서 돌아가도 되고!" 대체 어디로 가야 하는지 아시는 분? 내비게이션도 갈피를 못 잡을 것 같은 대단한(?) 길 안내였다. 당장 길을 가야 하는데 명쾌하지 못한 답을 듣고 나니 제대로 알려주지 않는 아빠에게 잔뜩 예민함을 보였다. 갈팡질팡할 수 없으니 일단 아무렇게나 길을 갔다. 들어선 길부터 아빠가 다시 알려주셨는데 조금 돌아가긴 했지만, 결론은 집에 무사히 도착했다.

집에 잘 도착하고 나니 마음이 금세 편안했다. 길을 돌아간 덕분에 새로 오픈한 못 봤던 가게들도 구경하고 도로가 새롭게 바뀐 곳도 알게 되며 의도치 않게 잠깐의 동네 여행을 하게 됐다. 아빠와 함께 동네 여행을 하며 나눌 이야깃거리도 생겼다. 아빠 말대로 길을 갈 때 우로 가도 되고, 좌로 가도 되고, 직진해도 되고, 유턴해도 집으로 갈 수 있다는 것을 몸을 느끼니 편안함이 마음에 또 들어왔다.

살면서도 한번 갈 길을 놓친다고 불안에 떨지 말자고 생각했다. 지금 새롭게 가고 있는 길도 한 치 앞도 보이지 않는다고 걱정하지 말아야겠다. 아빠가 알려준 대로 어떻게 가도, 갈 방법은 있다. 시간은 조금 더 걸릴 수 있고 때로는 오히려 이렇게 가는 것이 지름길이 될 수도 있다.

　어차피 알 수 없는 길이다. 우로 가도 되고, 좌로 가도 되고, 직진해도 되고, 유턴해도 된다! 이렇게 생각하니 살짝은 편안해졌다.

Q. 당신을 편안하게 하는 것들을 알려주세요!

No16. 감동하다

타입 희로애락 중 희(喜)

기본 특성 크게 느끼어 마음이 움직이다

주요 스킬 폭풍 눈물

마음회복력 ☺ ☺ ☺ ☺ ☺

<감동하다>의 순간을 한번 맛보면 나 혼자 감동하고 싶지 않은 마음이 생긴다. 내가 느낀 감동도 나눠주고, 다른 사람들도 감동 해보도록 감동의 순간을 만들어 주게 된다. 감동의 물결이 퍼진다.

[해설]

〈감동하다〉는 팔이 길게 뻗어 있어 어떤 마음도 놓치지 않고 안아줄 수 있는 형태를 가지고 있다. 그래서 마음에 감동이 들어오면 꿈쩍 않던 딱딱한 마음이 말랑말랑해진다. 감동할 순간은 자주 찾아오지 않는데, 한 번 찾아오면 너무 좋아서 눈물이 나올 만큼 큰 울림을 주는 감정이다. 그 감동의 순간은 평생의 기억에 남기도 하는데 마음이 힘들 때마다 마음속 서랍장에서 꺼내서 그 순간을 돌아보면 힘든 순간을 이길 수 있게 한다.

하고 싶은 걸 하고 살겠다고 했지만, 다 하며 살고 있는지 모를 순간이 있다. 지금 가고 있는 길에 대한 확신이 있고 나를 믿지만 꾸준히 믿기 힘든 순간도 온다. 현실적인 부분에 부딪칠 때 특히 마음이 흔들린다. 이럴 때 마음을 알아주는 사람이 있다면 그땐 감동이 찾아온다. 그냥 찾아오는 것이 아니고 파도처럼 밀려온다.

동생을 통해 인연이 된, 글을 쓰고 그림을 그리는 친구를 만나게 됐다. 그 친구와 마음이 잘 맞아 자주 연락하며 지내다가 '매일 멋져지는 사람들의 모임'을 만들었다. 우리가 모이면 나날이 멋져지는 서로의 모습들을 응원하고 힘나는 에너지를 주고받았다. '우리 정말 멋지다!' 생각이 스며듦과 동시에 정말로 매일 멋진 두 동생과 다르게 '과연 나는 진짜 멋질까'라고 의심하는 마음이 들기도 했다. 문득 원래 하던 분야로 돌아가야 하나 생각할 때도 있었다. 그때 이런 메시지를 받았다.'언니가 하고 싶은 거 한다는 게 너무너무 기쁘고 좋았어요. 언니가 행복해하고 만족해하는 게 다 느껴졌어요. 언니를 지지하게 되고 응원하게 됐어요. 다시 원래 하던 분야로 돌아갈 수 있다고 했지만 전혀 아니라고 생각 했어요. 언닌 이미 흐름 탔지!'

〈감동하다〉 감정이 꼭 끌어안아준 날이었다. 감동이 마음에 들어오니 부끄럽지 않은 모임원이 되어야겠다고 다짐하고 나를 해치는 생각보다는 앞으로 멋지게 나아갈 생각을 하기로 했다. 이 감동의 순간에 함께 있어서 고마웠고 지치지 말고 이 길을 올라야겠다고 결심했다. 한번 감동을 얻고 나니, 감동이 필요한 사람에게 이 감동을 나눠주고 싶은 마음도 스며들었다.

Q. 감동의 순간을 자랑한다면?

No17. 자랑스럽다

타입 희로애락 중 희(喜)

기본 특성 남에게 드러내어 뽐낼 만한 데가 있다

주요 스킬 자꾸 어디에 내놓고 싶어 하기

마음회복력 ☺ ☺ ☺ ☺ ☺

다른 어떠한 것보다 자신을 자랑스러워할 때 강력한 마음 회복력이 생긴다. 과연 자신의 어떠한 면을 자랑스러워할 수 있을지 생각해보기를 추천한다.

〈자랑스럽다〉는 기골이 장대하고 우렁차며 감탄이 절로 나올 만큼 엄청난 크기를 뽐내는 감정이다. 〈자랑스럽다〉가 마음에 들어오면 세상의 중심은 〈자랑스럽다〉만 보일 만큼 거대하다. 자랑스러움의 대상은 그 어떠한 것도 가능한데, 자신을 향한 자랑스러움이 있으면 마음을 회복하는데 아주 강력한 감정이다. 자신의 자랑스러움 말하기보다는 자신을 탓하는 환경에 익숙한 사람이 많을 거다. 자신을 자랑스러워하는 연습이 필요하다.

비가 오락가락했던 여름날, 경주로 템플스테이를 다녀왔다. 그곳에서 보기 드물게 눈이 빛나는 사람을 만나게 됐다. 템플스테이를 안내하는 담당자분이셨는데, 체험하러 왔다가 그 매력에 빠져 절에서 일하게 되었다고 했다. 그 담당자분은 안내하는 내내 눈이 반짝였다. 인생이 이렇게 흘러갈 줄 몰랐다며 정말 신기한 일이고 감사한 일이라고 했다. 반짝이는 그 눈을 보며 덩달아 신이 났다.

내 눈을 떠올려봤다. 꽤 반짝이는 눈을 가진 사람이

라고 자부했었다. 넘치는 에너지와 아이디어로 늘 빛이 났었다. 이리저리 치이다 보니 늘 빛이 날 수는 없었다. 반짝이던 눈은 빛을 잃어갔다. 그렇게 빛을 잃고, 어두움이 잔뜩 담긴 눈으로 하던 일을 그만두었다. 새로운 일을 하는 지금, 내 눈이 다시 빛나고 있는지 잘 모르고 지냈다.

일을 하면서 예상치 못한 인연들이 생겼다. 신기하게도 그들 모두 자기 일에 눈을 반짝이며 빛나는 눈을 가진 사람들이었다. 빛나는 눈빛으로 자신들이 하는 이야기들을 들려줬다. 앞으로 하고 싶은 빛나는 계획들도 듣고 나니 덩달아 또 신이 났다. 자신에 집중하고 빛을 내려고 달리는 삶은 얼마나 멋진 일인가. 그들의 빛나는 이야기를 듣고 나니 이제는 궁금해졌다. 지금 내 눈은 반짝이고 있을까? 다시 반짝이는 것 같았다. 이건 분명 반짝이는 눈빛이었다. 미약하지만 〈자랑스럽다〉가 느껴졌다.

〈자랑스럽다〉 감정이 몸에 더 스며들도록 하고 싶다. 아주 작은 자랑스러움도 끌어올려 보자. 뭘 해도 꾸준히 하는 건 끝내주게 잘한다. 참 자랑스럽다! 또 어떤 것을 자랑스러워해 볼까! 지금부터 시작이다.

Q. 누구보다 대단해요! 당신을 자랑해본다면?

32가지의 감정여행 중
짧게 스쳐갔던
감정 한 줄 평

#곤란하다

: 다시는 같이 일하기 싫은 선배가 계속 함께 일하자며
일자리를 제안해서 곤란했다.

#귀찮다

: 하던 일을 왜 그만하는지, 지금 뭐하고 사는지에 대해
그동안 함께 일한 사람들에게 일일이 설명하기 귀찮다.

#답답하다

: 새로 시작한 일이 예상과 다른 결과일 때 답답하다.

#당황스럽다

: 분명 이 책은 내 감정의 이야기인데 한 글자 한 글자
풀어내기 꽤 어려웠다. 당황스럽다.

#두렵다

: '할 수 있다'라는 용기를 잃을까 봐 두렵다. 용기 잃지
않게 해달라고 항상 소원을 빈다.

#밉다

: 빨리 무언가를 이루려고 재촉하는 내 모습이 세상 밉다. 조급해하지 말자.

#서럽다

: 철저한 식단 관리를 다시 한다. 더 건강하게 살기 위함이라지만 노력에도 불구하고 다이어트와 요요가 반복된 삶이 괜히 서럽다.

#섭섭하다

: 죽어라 하고 열심히 살고 있지만, 이 '열심'을 세상이 몰라줄 때 괜히 섭섭하다.

#속상하다

: 다들 잘 살고 있는데 나만 뒤처지고 있는 건 아닐까 생각이 들어 속상했다.

#쑥스럽다

: 잘하고 있다는 칭찬을 들을 때 쑥스럽다. 과연 진짜 잘하고 있는 게 맞을까?

#실망하다

: 점점 체력이 예전 같지는 않다는 느낌이 든다. 체력에 실망했다. 운동 더 하자.

#싫다

: 오이가 세상 제일 싫다. 오이비누도 싫다. 근데 이상하게 엄마가 만든 오이지는 먹는다.

#안타깝다

: 자신을 아끼고 사랑하려 하지만, 일이 안 풀릴 때 내 탓 먼저 하게 된다. 안타깝다.

#억울하다

: 사회생활 할 때, 오래 일한 세월만 무기로 들고 있는 사람들을 보면 억울했다. 그럴수록 열심히 살고있는 나를 더 믿으면 억울함을 덜 수 있을 거라 생각했다. 하지만 생각보다 억울함을 덜지 못해 좌절했다.

#외롭다

: 하던 일을 그만두면 외로울 줄 알았는데, 외로울 틈이 없다. 오히려 좋다.

#우울하다

: 건강검진 후 몸에 물혹이 발견됐다. 떼어내기만 하면 되지만 그래도 우울해졌다.

#원망스럽다

: 원망스러운 순간은 다행히 32가지 감정 여행 중 아직 없었다. 원망스러움이 찾아올 땐, 어떻게 해야 할까 걱정스러운 마음이 생겼다.

#조마조마하다

: 책을 만들며 처음 그려본 감정 그림들. 손재주가 없는 탓에 괜히 조마조마하다.

#행복하다

: 올해 새로운 도전들을 가장 많이 해보고 있다. 행복하다. 늘 새로워, 늘 짜릿해!

#혼란스럽다

 새로운 일을 더 잘해보고자 대의(?)를 위해 큰맘 먹고 맥북을 샀다. 한평생 컴퓨터는 윈도우, 핸드폰은 갤럭시와 함께 살았던 나에게 맥북을 사용하는 일은 이보다 혼란스러울 수 없다.

#흥분되다

: 예상치 못한 곳에서 새로운 인연이 끊임없이 생기고 있어 흥분된다. 인생 참 재밌다!

3장. 내리막 코스

No18. 후회스럽다

타입 | 희로애락 중 애(哀)

기본 특성 | 이전의 잘못을 깨치고 뉘우칠 데가 있다

주요 스킬 | 왔던 길 뒤돌아보기

마음회복력 | ☺ ☺ ○ ○ ○

때로는 '에라 모르겠다, 후회해도 해볼래!'라는 마음이 후회를 마음에서 떨어지게 할 때가 있다. 그때를 기억해두면 빠른 마음 회복을 할 수 있다.

[해설]

〈후회스럽다〉는 끈적끈적한 점성을 가진 감정이다. 그 끈적거림 때문인지, 지나온 날을 자꾸 뒤돌아보도록 잡아당긴다. 게다가 부정적인 생각을 마음에서 떨어지지 않도록 끈적거리게 붙여둔다. 부정적인 마음을 붙이는 것에서 끝나지 않고, '그런 짓은 하지 말았어야 했는데...'라며 자책과 고통까지 준다.

단번에 〈후회스럽다〉 감정을 마음에서 떨어내기가 쉽지 않다. 워낙 끈적거리기 때문에 한 번에 떨어지지 않는다. 후회하는 마음에서 벗어나려고 노력하다가 그 노력을 포기할 때쯤 '에라 모르겠다, 후회해도 그냥 이대로 할래.'라는 마음이 생기면 그때 〈후회스럽다〉는 언제 마음에 붙었나 할 정도로 쉽게 떨어질 때가 있다. 그때를 기억해두면 마음 회복력에 도움이 될 수 있다.

살아오면서 사람들을 대할 때 비교적 맺고 끊음이 확실하다. 참 쉽지 않지만, 마음속에서 '이 인연은 끝났다.' 생각이 들면 확실히 끊어낸다. 칼같이 끊어냈다고 해도, 완벽한 사람은 아니기에 그 인연들을 떠올릴 때 〈후회스럽다〉 마음이 들 때가 있다.

하던 일을 멈추고, 새로운 길로 떠나려 했을 때 후회하는 마음이 가장 크게 찾아왔다. 맺고 끊음이 확실한 것 때문에 여태 사회생활을 하며 마음을 의지할 수 있는 이렇다 할 선배가 없었을까? 사회생활에 지속적인 도움이 될지도 모르는 인연을 두지 못했나? 생각했다. 후회하는 마음이 들면 누구 탓이라도 해야 마음이 편해질 때가 있다. 가장 먼저 탓하기 쉬운, '내 탓'을 먼저 하기 시작한다. 그때는 내 탓을 많이 했다. 대인관계 방법이 잘못된 것일까? 상대를 너무 이해해주지 못했을까? 호불호 강한 면모도 탓해본다. 뒤이어 또 다른 부정적인 마음도 달라붙는다. 이게 잘 살고 있는 걸까? 이렇게 사는 게 맞는 걸까? 살다가 뒤를 돌아봤을 때 곁에 아무도 없으면 어떻게 하지? 다들 자기의 터전을 잘 꾸리고 다져나가는 때인데, 아무도 없는 망망대해로 스스로 들어가는 건가? 온갖 마음이 뒤섞인다.

그렇게 후회하는 마음을 겪고 나서는 한동안 모두를 사랑하는 관대한 사람인 척한다. 하지만 모두를 사랑하는 대인은 죽어도 못 돼서, 그렇게 억지로 끌고 가는 인연은 결국 또 끊어 버리게 된다. 아무리 맺고 끊음이 확실한 나라도, 이 과정에서 또 상처가 남는다.

새로운 일을 하는 지금 생각해보면, 지난 사회생활 중 마음을 의지할 수 있고 사회생활에 지속적인 도움이 되는 선배들이 있어도 분명 지금처럼 하고 싶은 걸 하는 삶을 살았을 것 같다. 그러므로 누구를 탓할 필요도 없고, 나를 저격할 필요도 없다. 그래서 후회할 필요도 없었다. 그렇지만 후회하는 마음이 들었다면, 그건 어쩔 수 없다고 생각했다.

　후회하던 시간이 있었기에 지금 맺고 있는 인연들, 앞으로 맺을 인연들을 더 소중히 여기고 감사할 수 있겠다고 생각해본다. 이 순간, 〈후회스럽다〉가 떨어졌음을 느껴졌다.

No19. 화나다

타입   희로애락 중 로(怒)

기본 특성   성이 나서 화기(火氣)가 생기다

주요 스킬   붉으락푸르락 얼굴, 고함치기, 세상 모든 것 미워하기

마음회복력   😀 ⚪ ⚪ ⚪ ⚪

화를 잘 내야하고 화도 잘 다스려야 마음 회복하는 데에 쉽다.
숨을 크게 들이마시고 내쉬는 것이 화를 다스리는 데에 도움이 될
수 있다. 한번 크게 숨을 쉬어보시길!

〈화나다〉는 불덩이같이 뜨겁다. 감정의 크기는 크지 않지만, 한번 마음에 들어오면 온몸 전체를 뜨겁게 만들 만큼 어마어마하다. 〈화나다〉가 마음에 생기면 몸 밖으로 표출된다. 화를 내는 그 형태는 각양각색이다.

눈물이 흐르거나 소리 내서 울거나 고함을 지르거나 몸이 아파 드러눕거나 등등 정말 다양하게 나타난다. 화를 참기도 하지만, 참는다고 다는 아니다. 참는 것은 의외로 마음 회복력에 크게 도움 되지 않는다. 오히려 화가 쌓여 화병이라는 진짜 병이 생길 수도 있다. 화를 내는 것도 잘 내야하고, 화를 다스리는 것도 잘 다스려야 빠르게 마음 회복이 된다. 그렇지 않으면 너무나 뜨거운 감정이라 화를 내다가 온 마음이 홀랑 타버려, 다시 마음을 회복하는 데에 꽤 많은 시간이 걸린다. 심지어 많은 시간을 들였음에도 불구하고 온전한 회복이 되지 않고 후유증이 남을 때도 있다.

그렇다면 어떤 방법으로 화를 내고, 화를 다스려야할까? 안타깝게도 이 감정 도감에서 화를 다스리는 방법을 다 알 수 없다. 좋은 방법을 알고 있다면 알려줘

도 좋다. 그래도 알고 있는 방법의 하나만 말해보자
면, 〈화나다〉가 마음에 생겼을 때 숨을 크게 들이마시
고 내쉰다. 그때 좀 화가 가라앉으며 마음 회복력에 도
움이 될 때가 있다.

32가지 감정여행 중 건강검진을 받은 적이 있다. 오
른쪽 가슴에서 유방 낭종이 발견됐다고 했다. 정확히
는 우측 10시 방향 3cm 거리 내부 석회화를 동반한
4mm 미만의 낭종이 있다는 낯선 이야기였다. 처음엔
그리 놀라지 않았다. 낭종(물혹)이라는 것이 워낙 흔하
게 발견되는 것이기도 하고, 2년 전 왼쪽 가슴에서 미
세석회화라는 것이 생겨 부분마취 후 당일 입원하여 간
단한 수술을 통해 조직검사를 한 적이 있었다. 조마조
마했지만 결과는 아무 이상이 없었다. 이미 한 차례 경
험이 있었던 터라, 낭종이 발견됐다는 말에도 괜찮겠
거니 싶었다.

이번엔 달랐다. 의사 선생님은 조직 모양이 좋지 않
다고 했다. 모양이 좋지 않으면 '암'이 될 가능성도 있
기에 제거를 권유했고, 제거 후 조직검사까지 해봐야
한다고 했다. 별일 없을 거라 생각했는데 무방비 상태
로 '수술', '제거', '좋지 않음', '암' 같은 단어들을 듣게

되니, 굉장히 놀랐다. 낭종 제거 수술하고 조직검사를 해봐야 더 정확히 몸 상태를 알게 되겠지만 의사 선생님 소견만으로도 머릿속은 혼란스러웠다.

거친 사회생활 중 첫 여유를 즐기고, 하고 싶던 일을 하고, 새로운 일도 시작하는 지금, 왜 하필 지금일까 생각했다. 물론 살면서 어느 시점에 건강 이상이 찾아와야 흔쾌히 받아들일 수 있을지는 모르겠다. 건강하지 않다는 것을 언제 알았어도 억울했을 것 같다.

더 재밌게 살겠다고 결심했을 때 이런 얘기를 들으니 흥이 다 깨져버렸고 잘 가고 있던 길에 싱크홀이 생긴 것처럼 마음 한쪽이 움푹 패 좌절감도 들었다. 쌓아온 즐거움이 와장창 깨진 느낌이었다. 놀라고 혼란스러움을 넘어서 화가 났다.

화가 나니 눈물이 왈칵 쏟아졌다. 눈물을 멈추려고 크게 들이마시고 내쉬었다. 화나는 생각을 멈추려고 머릿속을 빠르게 회전하며 생각을 돌렸다. 몸에 더 큰 이상이 있기 전에 미리 발견하고 예방할 수 있어서 다행이라는 생각을 찾아냈다. 하지만 또 눈물이 나왔다. 여전히 무섭고 서러웠다. '나한테 대체 이게 왜?'라는 생각에 화는 풀리지 않았다.

화는 났어도 해야 할 것은 해야 했다. 수술이 가능한 제일 이른 날짜로 수술 일정을 잡았다. 부분마취와 당일 입원으로 간단한 수술이었지만 수술의 간단한 방법과는 별개로 수술할 때 들려오는 소리와 낭종을 제거하기 위해 몸속으로 큰 바늘과도 같은 기계가 들어가는데 그 기계가 주는 진동에 불쾌함을 느꼈다. 수술 후 압박붕대로 가슴을 꽁꽁 묶어주는데, 숨도 잘 안 쉬어지는 것 같고 팔 드는 것조차 조심스러웠다. 게다가 코로나 때문에 보호자 출입이 되지 않아 혼자 입원해야하니 더 불편함이 배로 찾아왔다. 낭종을 떼어 버렸으니 괜찮다고 생각하다가도 화나는 생각들이 샘솟았다.

잘 가고 있는 와중에 왜 이런 걸림돌들이 생긴 거지? 다시 생각해도 억울하고 화가 났다. 화가 나는 대상이 눈앞에 보이지 않고 이유를 알 수 없으니 더 화가 났던 것 같다.

화가 풀리지 않아 너무도 마음이 답답해 의사 선생님에게 대체 왜 낭종이 생긴 거냐고 물었다. 의사 선생님은 그 원인이 매우 다양해 알 수 없다고 했다. 이제 제거했으니 괜찮은 것이고 조직검사 결과만 괜찮으면 다행이고 꾸준히 추적 관찰하자고 했다. 안심되는 말을 들으니, 마치 '화' 덩어리가 떨어진 것 같이 화가 살짝은 가라앉은 것 같았다. 숨을 또 크게 들이마시고 내쉬었다. 화가 다 사라진 것 같진 않았지만, 불덩이 같던 뜨거움은 잠시 식은 것처럼 보였다.

Q. 화를 다스리는 나만의 방법이 있나요?

No20. 괴롭다

타입 | 희로애락 중 로(怒)

기본 특성 | 몸이나 마음이 편하지 않고 고통스럽다

주요 스킬 | 고통 속 몸부림치기

마음회복력 | ☺ ◯ ◯ ◯ ◯

한번 〈괴롭다〉에 빠졌다면, 〈괴롭다〉가 정말 괴로워서 다시는
괴로움에 빠지지 않으려고 어떻게든 몸부림친다. 그 노력을 하다
보면 어느새 〈괴롭다〉가 살짝 사라진 것을 볼 수 있다.

〈괴롭다〉는 갈기갈기 찢어져 있는 형태이다. 원래의 모습이 어떤지 아무도 모른다. 괴로움에서 벗어나기 위해서 갈기갈기 찢어진 〈괴롭다〉를 어떻게든 붙여보려 한다. 단번에 붙지는 않지만 어떻게든 해보려는 노력 덕분에 괴로움에서 벗어날 때가 있다. 괴로움은 부정적인 감정이지만, 나쁘다고는 할 수 없다.

한번 마음에 〈괴롭다〉가 생기면 다시는 그 괴로움에 또 빠지고 싶지 않다. 마음은 물론, 몸까지 고통을 주는 〈괴롭다〉이기에 살면서 괴로움까지 가지 않으려고 마음 회복에 큰 노력을 기울인다. 그 노력 속에서 괴로움과 함께 살아가는 법, 괴로움에서 헤쳐 나가는 방법을 터득할 수 있다.

낭종 제거 수술을 하며, 〈화나다〉 마음에 이어서 괴로운 마음이 온통 가득했다. 낭종 제거 수술로 끝이 아니고 조직검사 결과를 기다리는 일이 남았기 때문이다. 조직검사 결과가 나오기 전까지 수술 후 3일밖에 안 걸렸는데 괴로운 마음이 온몸을 지배했다. 그렇게 괴로울 수가 없었다. 모양이 좋지 않다는 소리까지 들었기에 최악의 상황인 암일지도 모른다는 상상까지 했다. 암이면 어떻게 하지? 치료가 가능한 정도일까? 내 미래는 있을까? 등등 온갖 안 좋은 상상으로 3일을 보냈다. 때로는 이런 생각도 했다. 앞으로 대체 얼마나 잘 되려고 그러지? 액땜 제대로 하네. 이제 더 이상 나쁜 일은 없겠다고 생각했다.

괴로운 3일을 보내고 조직검사 결과가 나오는 날이었다. 괴로웠던 날이 무색할 정도로 다행히도 조직검사 결과는 이상이 없었고 꾸준히 관찰하자고 했다. 괴로움은 씻은 듯이 내려갔다. 괴로움은 몸과 마음에 고통을 줬지만, 건강하지 않으면 지금 하는 것이 아무것도 아닌 게 된다고 알려주었다. 새로운 길을 가는 것도 중요하지만 그만큼 건강도 챙겨야 한다고 생각하게 했다. 건강해야 새로운 프로젝트들도 잘 해낼 수 있다. 지독한 괴로움에 빠지고 싶지 않아 운동을 더 열심히 하기로 했다. 다시는 괴롭고 싶지 않았다.

Q. 요즘 마음이 어때요? 지금 어떤 감정이에요?

_____

_____

_____

_____

_____

No21. 슬프다

타입) 희로애락 중 애(哀)

기본 특성) 원통한 일을 겪거나 불쌍한 일을 보고
마음이 아프고 괴롭다

주요 스킬) 폭풍 눈물

마음회복력) 😔 ◯ ◯ ◯ ◯

〈슬프다〉가 생기면 그때그때 비워내야 마음 회복력에 도움이
된다. 그렇지 않으면 〈슬프다〉가 마음속에서 넘쳐흘러 복구 작업
이 어렵다. 마음 회복하기가 정말 쉽지 않은 감정이다.

[해설]

　〈슬프다〉는 물에 젖은 듯 축축하다. 〈슬프다〉는 감정 속에 웅덩이를 가지고 있는 형태이다. 슬픈 정도에 따라 물웅덩이 깊이가 달라진다. 얕은 슬픔이면 웅덩이에 아주 찰방찰방할 정도만 물이 차기에 감당할 수 있다. 얕은 슬픔의 경우, 한번 웃고 나면 떨치기도 한다. 하지만 깊은 슬픔으로 갈수록 이 웅덩이에는 물이 가득 차게 된다. 슬픈 마음을 해소하지 못하고 계속 쌓아만 두면 마음속 웅덩이 물이 범람하고 물난리가 난다. 마음속에서 슬픔의 물난리가 났다면 수해 복구 작업을 하는 데 꽤 시간이 걸리니 슬픔의 얕은 웅덩이가 생겼을 때 제때 떨쳐내야 마음 회복력에 도움이 된다. 누구나 아는 사실이지만 쉽지는 않다.

　32가지 감정여행 중 깊고 얕은 슬픔이 왔다 갔다 하며 찾아왔다. 아마도 새로운 일을 하기 시작하면서 더 자주 찾아왔던 것 같다. 당장 현실적인 부분에서 돈을 많이 벌지 못하고, 성과를 빨리 내는 결과적인 부분 때문에 슬픈 것은 아니다 (앞서 '뿌듯하다'가 생겼을 때, 빨리 결과를 내겠다는 마음은 욕심인 것을 알았고, 가장 뿌듯했던 기억인 한라산에 올랐던 때를 떠올리며 작고 사소한 뿌듯함을 매일 찾아 마음 회복하기로 했다. 그래서 새로운 일의 결과가 당장 나오지 않아 생기는 '슬프다'는 없다).

모순적으로 이번에는 새롭게 여러 일들을 습득하는 과정이 순탄하지 않아 슬펐다. 매일 꾸준히 노력하고 도전하고 있는데, 결과가 순탄하지 않으면 과정이라도 원하는 방향대로 흘러갔으면 좋겠다고 생각했다. 마음처럼 쉽지 않았다. 영상 편집일도 처음 해 보고, 촬영도 처음 해 보고, 글을 제대로 또 처음 써 보고, 책도 처음 써본다. 온통 '첫' 순간으로 가득 차 있었다. 누구나 처음의 순간은 서툴기에 순탄치 않은 것인데, 머리로는 알면서도 〈슬프다〉가 찾아왔다. 대체 이게 왜 안 되는 거야! 슬픈 마음에 속상한 마음마저 더해졌다.

분명 사회생활을 처음 시작할 때도 서툴고 어설펐던 순간이 있었을 거다. 세월이 흐르면서 이미 '능숙함'에 익숙했기에 이 서툴고 어설픈 점들을 받아들이기 어려웠다. 그래서 더 〈슬프다〉 웅덩이 속으로 빨려들어갔던 것 같다. 영상 편집이라는 기술을 익히다가 〈슬프다〉 속에 갇힌 적이 있다. 엄청난 방송을 만들

것도 아니고 뭘 그런 걸로 슬퍼하냐 할 수 있지만, 그 순간에는 정말 심각했다. 〈슬프다〉 마음이 가득한 순간에 동생이 나를 포착했다. 잔뜩 찌그러진 얼굴로 너무 짜증 난 채로 울던 사진이었다. 내 얼굴이지만 참 웃겼다. 어이없게도 웃고 나니 슬픔이 조금 나아졌다. 축축함이 조금이나마 사라지고 마음이 살짝 뽀송뽀송하게 느껴졌다.

No22. 허전하다

허전

타입   희로애락 중 애(哀)

기본 특성
1. 주위에 아무것도 없어서 공허한 느낌이 있다
2. 무엇을 잃거나 의지할 곳이 없어 서운하다
3. 느즈러져 안정감이 없다.

주요 스킬   멍 때리기

마음회복력   ☺ ◯ ◯ ◯ ◯

<허전하다>가 생기면, 마음을 더 비워내야 뻥 뚫린 마음을 채울 수 있다. 억지로 텅 빈 곳에 채워 넣으려다가 더 깊은 허전함으로 빠져들지도 모른다.

[해설]

〈허전하다〉는 감정의 몸통 한가운데가 뻥 뚫려있는 형태를 하고 있다. 아무리 채우려고 해도 채워지지 않는다. 무언가를 채우면 될 줄 알아서 채울 것들을 찾아 헤매지만, 그것이 마음 회복하는 데 생각보다 도움 되지 않는다. 허전한 마음이 들면 자주 멍을 때리게 된다. 요즘은 불멍, 숲멍, 바다멍 등등 각종 멍을 일부러 때리러 다니지만, 〈허전하다〉 마음 하나면 멍 때리기 대회 1등도 거뜬하다. 〈허전하다〉가 생겼을 때 오히려 마음을 더 비워내야 뻥 뚫린 마음을 채울 수 있다. 억지로 텅 빈 곳에 채워 넣으려고 한다면 더 깊은 허전함으로 빠져들지도 모른다.

달리고 있으면 무조건 잘 살고 있다고 생각했다. 삶을 알차게 잘 채우면서 살아왔다고 생각했다. 그렇게 잘 달려온 일을 잠시 멈췄을 때 꽉 차 있을 마음속 곳간을 예상했는데, 생각보다 허전하고 텅 비어있고 멍했다. 뭘 해놓은 게 없는 것처럼 느껴졌다. 달려와도 허전한 마음이 들 수 있구나! 왜 그럴까? 허전함을 느꼈다는 것에 놀라기도 했다. 그동안 해왔던 건 과연 무엇이었을까? 내가 손에 쥔 게 별로 없다고 생각해서일

111

까? 뭘 갖게 되면 허전함은 사라질까? 또 수많은 물음표가 생겼다. 물음표에 대한 답은 찾지 못했다. 그래서 쉴 때 제대로 쉬지 않고, 쉬면서도 이것저것 하면서 채우려고만 했다.

 '언젠가 도움이 되겠지!' 마음으로 작사가 공부도 했다가 부동산 공부도 했다가 다시 빠르게 일을 시작하려고도 찾아보고 있었다. 뭘 하면 할수록 마음속 〈허전하다〉는 여전했다. '밑 빠진 독에 물 붓기'처럼 아무리 채워도 허전함이 가득했을 때, 채워 넣는 것에 지쳐가고 있었다. 지친 마음이 드니 자연스럽게 마음속 채우기는 서서히 멈춰갔다. 진짜로 뭘 더 하지 않아도 괜찮을까? 이렇게 지내도 괜찮은 걸까?

Q. 당신에게 언제 허전함이 찾아오나요?

_____

_____

_____

_____

_____

No23. 자신만만하다

| 타입 | 희로애락 중 락(樂) |

| 기본 특성 | 매우 자신이 있다 |

| 주요 스킬 | 세상 당당, 걱정 대신 확신, 다 해낸다는 결심 |

| 마음회복력 | ☺ ☺ ☺ ☺ ☺ |

<자신만만하다>를 가지려면 자기에 대한 믿음이 필요하다. 믿음이 있으면 어떤 상황에도 흔들리지 않고 자신만만하게 흘러갈 수 있다. 해낼 수 있다는 마음으로, 결국 해내게 된다.

[해설]

　〈자신만만하다〉는 아무 때나 나오는 감정은 아니다. 마음속 한구석에서 납작하게 자리 잡고 있다가 나에 대한 믿음이 커졌을 때 몸집을 쫙 펼쳐 넓적해지는 형태이다. 그 크기는 가늠할 수 없을 만큼 넓어서 무엇이든 품을 수 있다. 마음에 〈자신만만하다〉가 생기면 '할 수 있다'라는 힘이 생긴다. 그 힘으로 원하는 것을 하고 있고, 결국 그 뜻대로 하게 된다.

　허전함을 느끼고 텅 비어있다고 생각한 마음속 곳간은 막상 확인해보니 전혀 허전하지 않았다. 하고 싶은 게 있다면 무엇이든 꾸준히 하는 사람이라는 믿음, 좋아하는 것이 생기면 온 마음으로 힘껏 좋아하고 열정과 에너지를 가지고 있다는 점, 험난한 사회생활을 보냈기에 웬만한 것에는 흔들리지 않는 단단한 마음, 힘들 때 웃을 수 있는 상황을 만들어서라도 웃어 보는 유쾌함, 사회생활의 능숙함과 노련함, 다양한 분야의 프로그램에서 일했기에 얕지만 넓게 쌓인 지식, 진짜 하고 싶은 걸 하기 위해 차곡차곡 모아놓은 생각들, 날 믿어주고 응원해주며 함께 하는 사람들 등등 마음속 곳간은 이미 빛나고 있었다. 역시 세상에 쓸데없는 일은 없

다. 엄청난 사람, 굉장한 사람이 되어야만 곳간이 가득
찰 줄 알아서, 곳간이 차 있는 줄도 몰랐고 마음속을 돌
아볼 생각도 없었다. 그래서 끊임없이 허전함을 느꼈
던 것 같다.

　대단한 사람도 아니고, 엄청난 사람도 아니고, 굉장
한 사람도 아니다. 작고 소소하지만 나름대로 삶을 꾸
려가면서 곳간은 채워졌고, 해낼 수 있다는 생각에 뿌
듯함까지 마음에 들어왔다. 이제는 이걸 가지고 또 다
른 세계로 출격할 때가 왔다. 더 이상 마음속에 모아만
두지 않겠다고 생각했다. 할 수 있다고 마음먹고 움직
였다. 소소한 마음들과 작은 움직임이 언젠가는 크게
빛을 낼 것 같았다. 분명 믿음이 실망으로 돌아올 때도
있을 거다. 실망해도, 실패한 길이여도 이건 가야만 하
는 길이라고 생각했다. 나를 믿고 계속 가보겠다. 한껏
든든해진 마음으로 계속 걸어가 본다. 때마침 엄마가
TV에서 흘러가는 문장을 보고 메모해둔 쪽지를 보게
됐는데 내용은 이랬다. "하고 싶은 거 하고 살아요, 우
리." 그래, 엄마 말 (이럴 때라도) 잘 들어야지. 하고 싶
은 거 하고 살겠다.
　〈자신만만하다〉가 마음에 꽉 들어찼다. 최고의 자신
이 될 준비를 해보자.

Q. 이것만큼은 최고다! 자신 있는 게 있다면?

No24. 미안하다

미안하다

| 타입 | 희로애락 중 애(哀) |

| 기본 특성 | 1. 남에게 대하여 마음이 편치 못하고 부끄럽다 |
| | 2. 겸손히 양해를 구하는 뜻을 나타내는 말 |

| 주요 스킬 | 손이 발이 되도록 빌기 |

| 마음회복력 | ☺ ◯ ◯ ◯ ◯ |

솔직하게 진심을 다해 미안함을 말하면 용서가 찾아오고 마음 회복도 빠르게 된다. 대신 미안함을 남발하면 그 마음이 전해지지 않아 신뢰를 잃는다. 신뢰를 잃으면 마음 회복도 더디게 된다.

[해설]

〈미안하다〉는 무게는 묵직하고, 모양은 꼬깃꼬깃하게 접혀 있는 형태의 감정이다. 워낙 무게가 무거워서 구겨져 있는 〈미안하다〉를 펼치는 것은 쉽지 않다. 게다가 아무 때나 펼치면 펼쳐지는 건 아니다. 정말 미안한 일이 생겼을 때만 이 감정이 생길 수 있다.

때로는 〈미안하다〉의 무게가 유난히 가벼운 사람이 있는데, 그런 사람은 쉽게 〈미안하다〉를 남용한다. 시도 때도 없이 미안함을 펼치면 그 마음이 전해지지 않는다. 미안함에 대한 무게를 생각하고, 한번 펼칠 때 신중하게 펼쳐야 한다. 어렵게 펼쳐낸 마음이기에, 그 마음을 받은 상대는 온전히 미안함이 전해져서 더 돈독해지고 미안한 일에 대해 용서하고 이해할 수 있다. 마음속 미안함이 들어온 나 자신도 어느 새 마음 회복이 된다.

마음을 단단히 먹고, 자신감도 생겼지만 늘 단단하게 살아가는 건 아니었다. 무너지는 마음이 들 때마다 제일 먼저 나 자신을 탓하고 미워했다. '이 모든 건 다 내 잘못이지 뭐.', '할 수 있는 건 없어.', '이게 되겠어? 그럼 그렇지. 이럴 줄 알았어.', '그냥 하지 말아야겠다.'

의외로 이게 가장 빠른 마음 회복 방법이었다. 차라리 마음이 편했다. 참 이상하게도 말이다. 마음이 편해짐은 오래 지속되지 않아서, 또 탓하고, 또 미워해야 했다. 그 후엔 자신을 미워했다는 죄책감까지 찾아온다. 나 자신이 다 사라지고 갉아먹고 나서도 그 끝은 크게 나아지지 않았다. 얼마나 나를 탓해야 마음이 편해질 수 있을까 생각했다. 더 이상 탓할 것도 없는데 말이다. 슬며시 스스로에게 〈미안하다〉가 마음에 생겼다. 하지만 입 밖으로 차마 내뱉지는 못했다. 미안하다고 말해버리면 스스로에게 너무 못되게 대했던 점을 순순히 인정하는 게 되는 기분이었다. 못되게 대했음에도 불구하고 말이다.

미안하다, 진짜.
이렇게까지 스스로를 미워하고 고통 줄 필요는 없다. 고통을 주고나면 정말 남는 게 없다. 쌓아온 단단한 마음, 어렵게 채워나간 자신감들 모두 깎아버려서 내가 없는 거다. 마음은 폐허나 마찬가지였다. 이대로 두고 볼 수 없었다. 어떻게 다져온 마음들인데 이대로 불타게 내버려둘 수는 없다. 안 되겠다. 스스로에게 미안하다고 말하기로 생각했다. 꼬깃꼬깃하게 접혀있는 〈미안하다〉를 조심히, 신중히 펼치기 시작했다.

미안해, 정말.

솔직하게 마음을 들여다보았다. 미안하다고 입 밖으로 내뱉었다. 다시는 이렇게까지 마음을 폐허로 만들지 않기로 생각했다. 인생은 길고, 결국 될 거고, 이룰 거니까, 마음을 폐허로 만들지 말자. 무너지는 마음이 들 때는 오늘은 마음이 무너졌던 날이라고 인정하자. 무너진 걸 보고 다시 어떻게 쌓아갈까 생각하자. 지금 여기, 현재 어떤 감정을 느끼고 있고 어떤 생각을 하는지 집중하고 내 마음이 하는 이야기를 들어주기로 했다.

No25. 무섭다

<table>
<tr><td>타입</td><td>희로애락 중 로(怒)</td></tr>
</table>

타입 희로애락 중 로(怒)

기본 특성
1. 어떤 대상에 대하여 꺼려지거나 무슨 일이 일어날까 겁난다
2. 두려움이나 놀라움을 느낄 만큼 성질이나 기세가 몹시 사납다
3. 정도가 매우 심하다

주요 스킬 후덜덜 떨기, 얼음 되기

마음회복력 ☺ ☺ ☺ ◯ ◯

정면 돌파하면 <무섭다>에서 금방 벗어날 수 있다.

[해설]

〈무섭다〉는 순간적으로 온몸을 얼려버릴 만큼 차갑다. 무서움이 마음에 들어오면 옴짝달싹 못하고 몸과 마음이 얼음처럼 얼어버린다. 아무것도 할 수 없게 한다. 그렇다면 무서울 땐 항상 아무것도 하지 못하고 계속 무서워만 하면 되는가? 그렇지 않다. 하지만 한 번에 무서움에 없애려는 방법은 안타깝게도 없다. 무서움으로 가득해 얼어버린 마음을 녹이고, 마음을 회복하기 위해서 여러 방법이 있겠지만, 무서움을 깨기 위해 계속 무서운 상황에 '정면 돌파'하여 부딪치는 방법을 추천해본다. 무서움 속에 들어가서 부숴본다. 실패해도 또 부수러 들어간다. 무서움과 계속 부딪치다 보면 어느새 무서움은 처음보다 작아져 있을 것이다. 어떤 방법이든 좋다. 무서움을 마음에 담아두지 말고 부수는 편이 낫다. 무서움을 제때 부숴놓지 않으면, 무서워했던 상황과 유사한 상황이 찾아왔을 때 마음속은 쉽게 얼어버리고 모든 일에 멈칫하게 된다.

필라테스를 배우고 있다. 한 번씩 고난도의 동작을 배울 때 늘 무서워했다. 무서워서 동작을 제대로 하지 못하고 잔뜩 얼어있을 때, 선생님은 말했다. "지금 무서워해서 그래요. 제가 다른 건 다 알려드릴 수 있는데, 무서움을 극복하는 건 알려드릴 수 없어요. 할 수 있어요!" 맞다, 무서움을 극복하는 건 내 몫이었다. 나만 할 수 있는 것이다. 스스로 해야만 하는 것이다. 그래야 동작을 배울 수 있고 다음으로 넘어갈 수 있다. 만약에 오늘 그 동작을 다 해내지 못해도 괜찮다. 왜냐하면 그 동작을 할 수 있도록 기초 동작을 탄탄히 다져서 다시 도전하면 된다.

이건 인생의 새로운 길을 걸어갈 때도 마찬가지였다. 익숙하게 해왔던 길을 멈추고 새로운 길을 걸어가면서 참 무서웠다. 재밌게, 신나게 일하면서도 무서웠다. 어디로 가는지 알 수 없는 이 길이 낭떠러지처럼 느껴질 때도 있었다. 스스로 자처해서 낭떠러지로 내려가는 것 같아 무서움이 생겼던 것 같다. 새로운 분야에서 일해도 능숙하게 살아갔으면 싶은데, 초행자처럼 자꾸 두리번거리며 이 길이 맞는지 불안해하는 것도 무서웠다. 무섭지만 지금 가는 길이 초행길이라는 건 안 변한다. 무서워서 가지 않을 것도 아니다. 그렇기에 무서움을 극복하는 건 아무도 대신 해줄 수 없다. 지금 가는 길이 내리막길이라고 해도 갈 것이고, 가야 한다.

실제로 오르막길보다 다칠 위험이 많은 내리막길이기에 내려갈 때 더 잘 내려가야 한다고 어디선가 본 적 있다. 삶이란 길을 걸어갈 때도 지금까지 걸어온 길을 다 내려간 다음, 편평한 평지를 만나면 그때 또 다른 길로 잘 걸어갈 수 있을 것으로 생각한다. 더 먼 길, 더 큰 길로 걸어갈 수 있을 거라고 확신이 든다. 마음속 〈무섭다〉에 정면 돌파했을 때, 〈무섭다〉가 서서히 아주 천천히 쪼개진 것이 보였다.

Q. 지금은 마음이 어때요? 어떤 감정이에요?

_____

_____

_____

_____

_____

4장. 발견!
여기는 새로운 코스

No26. 부끄럽다

타입 : 희로애락 중 애(哀)

기본 특성 :
1. 양심에 거리끼어 볼 낯이 없거나 매우 떳떳하지 못하다
2. 스스러움을 느끼어 매우 수줍다

주요 스킬 : 얼굴 가리기, 뒤로 숨어있기

마음회복력 : 🙂 🙂 ○ ○ ○

〈부끄럽다〉가 생기면 분명 '다음에 그러지 말아야지.'라는 생각이 따라온다. 생각에 그치지 않고, 다시 부끄럽지 않도록 움직이고 시도하면 부끄러움에서 벗어나게 되고, 마음 회복은 저절로 된다.

[해설]

〈부끄럽다〉가 마음에 들어오면 어디론가 자꾸 숨고 싶어진다. 감정의 얼굴을 늘 가리고 있어 〈부끄럽다〉의 형태를 제대로 보지 못한다. 마음에 부끄러움이 들어오면 어떠한 방식으로든 밖으로 표출된다. 얼굴이 불그스름해지거나 머리를 긁적이거나 얼굴을 가리거나 뒤로 숨거나 등등 다양한 형태이다. 크고 작은 부끄러움을 만날 수 있다. 매 순간 부끄러우며 살지 않기에 모든 부끄러움에서 다 벗어날 필요는 없다. 〈부끄럽다〉에서 벗어나고 싶다면, 분명 '다시는 그러지 말아야지.'라는 생각이 동시에 든다. 그 생각을 가지고 다음에 또 부끄럽지 않도록 한 번 더 움직이면 부끄러웠던 순간은 해결이 되고, 마음속에 부끄러움을 담아두지 않게 된다. 다시 부끄럽지 않았다는 성취감과 함께 마음의 여유가 생기며 마음 회복은 저절로 된다.

여태 스쳐 간 〈부끄럽다〉 중 뭐 하나를 꺼내 보라고 하면, 꺼내기 참 어렵다. 32가지 감정여행에서만 생긴 부끄러움을 꺼내 보라고 해도 참 어렵다. 무엇이 되었든 부끄러움을 꺼내는 것 자체가 부끄럽기에 쉽게 꺼낼 수 없다. 그래도 한번 용기 내어 꺼내 보자면 바로 이

때 부끄러웠다.

엄마가 요리할 때였다. 양파를 채 썰어 달라고 했다. 아주 간단한 것이었는데, 흙이 잔뜩 묻은 양파를 어떻게 해야 하나 싶어서 양파 한 알을 들고 싱크대 앞에 서 있었다. 어렸을 때부터 손으로 무언가를 하는 것에는 워낙 손재주가 없어 아예 그 근처도 가지 않았다. 그러니 요리는 당연히 못 하는 것으로 생각하고, 내 영역이 아니라고 여겼다. 먹는 건 잘해도 무언가를 만들어 보고 싶다는 생각조차 하지 않았다. 그렇다고 이렇게 간단한 양파 채썰기를 못 한다? 스스로 생각해도 이건 진짜 심각하다고 생각했다. 어떻게 엄마를 도와야 할지 엄두를 못 내고 있었다. 흔히 말하는 요리 똥손 중에서도 가장 제일가는 똥손이라지만, 양파 한 알도 처리하지 못하니 〈부끄럽다〉가 생겼다. 32년 동안 살면서 양파 하나 자르지 못하는 사람이라니! 칼질 한번 할 때마다 이렇게 하는 게 맞는지 계속 물었다. 이 나이 먹고 칼질 하나 제대로 못 하니 부끄러웠다. 이건 칼질이 아니라 칼을 들고 양파를 찢는 거나 마찬가지였다.

그런 모습을 보며 엄마는 말했다. "해봤어야 알지~" 그렇다. 요리를 해봤어야 아는 거다. 요리하고 나서야 요리를 잘하는지, 못하는지 아는 거다. 해보지도 않고 요리를 할 수 없다고 말할 수 없다. 엄마 따라 차근차근히 해보니 (질문의 연속이었지만) 의외로 어렵지 않았고 양파를 다 썰고 나니, 엄마가 할 때처럼 제법 비슷했다. 다 썰고 나니, 부끄러움도 양파 썰 때 잘려 나갔는지 마음에서 살짝 가셨다.

지금 걸어가는 길도 생각해보면, '새로운 길을 가봤어야 알지'다. 제대로 가보지도 않고 이 길이 맞나 생각하기도 하고, 내 이야기를 제대로 꺼내 보지도 않고 이 이야기를 남들이 제대로 봐주지 않을까 봐 미리 겁먹고, 미리 부끄러워했다. 부끄러울 수 있는 것도 '해봤기에', '가봤기에' 부끄러울 수 있는 거다. 몇 걸음 걷지도 않고 가는 길을 부끄러워하는 모습이 부끄럽다. 다시는 그러지 말아야지, 부끄러웠으니 부끄럽지 않도록 흔들리지 말고 걸어야겠다. 이걸로 봐서, 〈부끄럽다〉가 나쁜 감정이 아닐 수도 있구나! 싶다.

No27. 설레다

타입 희로애락 중 락(樂)

기본 특성
1. 마음이 가라앉지 아니하고 들떠서 두근거리다
2. 가만히 있지 아니하고 자꾸만 움직이다.
3. 물 따위가 설설 끓거나 일렁거리다.

주요 스킬 똑같은 일상을 낯설게 보기

마음회복력 😊 😊 😊 😊 ⚪

아주 작고 사소한 설렘의 순간이라도 놓치지 않고 모아서 마음속에 저장해두자. 마음 회복하는데 큰 도움이 된다. 설렘은 무언가를 계속 할 수 있게 하는 힘을 생기게 한다.

[해설]

〈설레다〉는 전기가 통하듯 찌릿찌릿한 촉감의 감정이다. 작고 동그란 모양이라 마음에 품고 있기 딱 좋은 형태이다. 설렘이 마음속에 들어오면 계속 품고 있고 싶어진다. 품고 다니면 기분이 한결 좋아지는 찌릿함을 느낀다. 〈설레다〉 하나만 있으면 늘 똑같은 일상이 다르게 보일 수 있다. 〈두근거리다〉와 만나면 찰떡궁합 감정이 된다. 늘 설렐 수는 없기에 더 애틋하고 아쉬운 마음도 들지만, 하루를 보내며 작고 소소한 것이라도 〈설레다〉를 느낀다면 그보다 행복한 일은 없을 것이다. 아주 작은 것이라도 설렘을 찾는다면 마음 회복력에 아주 탁월하다.

단발머리로 살아왔다. 고등학생 시절, 귀밑 3cm라는 두발 제한 규정이 있어서 교칙에 의해 잘랐다고 하지만 그 이후에도 여전히 단발머리였다. 20대 초반에 딱 한 번 길러본 적이 있는데, 스스로 생각할 때도 너무 잘 어울리지 않아 바로 단발머리를 했다. 긴 머리로 다른 스타일을 해보려는 시도도 없이 다시는 나에게 긴 머리는 없다며 단정 지었다. 그렇게 살다가 문득 한번 길러볼까? 생각했다. 왠지 이제는 길러보고 싶었다. 어쩐 일인지 '까짓것 길러보지.'라는 마음이 들었고, 머리를 다 기르고 파마했을 때 어울리지 않는다면 단칼에 또 단발머리로 자르겠다는 대안까지 세웠다. 머리카락 하나 기르는데 뭘 그렇게 비장하냐고 싶겠지만, 한 번도 안 해 본 것이기에 더 신중했다. 오랜 시간이 걸리기에 큰마음을 먹어야 했다. 머리를 다 기르고 나면, 찰랑찰랑하고도 뽀글뽀글한 파마머리가 하고 싶었다. 하고 싶다는 게 생겼다는 것에 설렜다. 하고 싶은 것은 꼭 하고 넘어가야 하기에 본격적으로 머리를 길러 보기로 했다. 장발로 가는 길은 험했다. 몇 차례 고비가 왔다. 흔히 말하는 '거지존'이 왔을 때, 정리 안 되는 머리를 볼 때마다 거울을 보기도 싫었다. 단발머리로 자르고 싶다는 충동도 있었지만, 그래도 견뎠다. 〈설레다〉가 마음에 생기니 참을 수 있었다.

드디어 장장 1년 반 만에 단발머리를 탈출하고, 뽀글뽀글 파마까지 했다. 파마머리를 보니 굉장히 설렜고 두근거렸다. (남들이 볼 때 이 머리가 예쁘든 안 예쁘든) 나에게도 설렐 수 있구나, 하는 마음이 들었다. 장발로 가는 길이 지독했지만, 포기하지 않고 꾸준히 길렀기에 〈설레다〉를 만날 수 있었다고 생각한다. 두근거렸다. 스스로에게도 설렐 수 있구나 싶었다. 꾸준함이 〈설레다〉를 가져다줄 수 있구나, 라고 생각했다. 신기했다. 설렘만 있다면 지겨움은 거뜬하게 이겨내는 구나! 눈으로 설렘을 직접 보고 나니 매일 설렘을 찾고 싶었다.

앞으로의 삶의 여정이 설렘을 찾으러 가는 길이라고 생각하면 같은 일상이어도 다르게 느껴진다. 아주 찰나의 작은 설렘이라도 끈질기게 찾고, 모아보자.

〈설레다〉를 계속 품고 싶어지는 날이다.

No28. 아쉽다

타입	희로애락 중 애(哀)
기본 특성	1. 필요할 때 없거나 모자라서 안타깝고 만족스럽지 못하다 2. 미련이 남아 서운하다
주요 스킬	'이렇게 할 걸!' 무한반복

마음회복력

아쉬움이 들어와서 마음이 허물어져도 다시 쌓으면 된다.
다시 쌓으며 마음을 다지면 〈아쉽다〉는 잠시 사라진다.

[해설]

〈아쉽다〉는 모래성처럼 툭 치면 쉽게 바스러지는 질감을 가진 감정이다. 보기에는 단단해보여서 부스러지는 재질인지 티가 나지 않지만, 살짝만 만져도 마음이 부스러져 다시 마음을 쌓고 싶어진다. '아~ 그때 이렇게 할 걸. 아쉽다.'라는 말이 절로 나오며 〈아쉽다〉가 마음에 스며든다. 〈아쉽다〉가 마음에 생기면, 〈후회하다〉까지 따라오게 된다. 아쉬움 없이 살아가면 최상이지만 그렇게 살기란 쉽지 않다. 아쉬움이 들어와서 마음이 허물어져도 다시 쌓으면 된다. 다시 쌓으며 아쉬움이 남지 않도록 다시 마음을 단단하게 쌓으면 〈아쉽다〉는 잠시 사라지고 마음도 회복된다.

32가지 감정여행을 하기 전에도 〈아쉽다〉는 항상 있었다. 완벽한 끝맺음은 없기에 무얼 하든 아쉬움은 남았다. 아쉬움으로 남아있던 때로 돌아가 보면, 분명 좋았던 순간이 있을 텐데 그 순간에는 힘들고 고통스럽다고만 생각했다. 좋았던 순간을 알아차렸다면 충분히 즐길 수 있었는데 아쉬움이 생긴다. 그리고 좋았던 순간을 왜 계속 지키지 못했을까, 라고 후회까지 생긴다. 마음은 또 바스러진다. 사실 그때 그 순간에는 잘 모른다.

137

왜 못 즐기고 있는지 모르고 고통 속에서만 있다고 생각한다. 다시 돌아가도 즐기지 못하고 고생스러운 마음으로 시간을 보내고 있을 것 같다.

이제는 더 이상 아쉽고 쉽지 않다고 생각했다. 하지만 아쉬운 순간은 나타날 것이다. 지금은 마음에 생긴 아쉬움을 피하지 않고, 〈아쉽다〉가 들어온 걸 인정하고 이 순간을 기억해서 다시는 아쉽지 않도록 또 달려가야겠다고 생각했다. 아쉬움에 그치지 않고 다시 마음을 다지면 된다. 무엇을 하든 지금 이 순간을 즐기기로 마음 먹어본다.

Q. 아쉬웠던 순간이 있다면 언제인가요?

No29. 막막하다

타입	희로애락 중 로(怒)
기본 특성	1. 쓸쓸하고 고요하다 2. 의지할 데 없이 외롭고 답답하다. 3. 꽉 막힌 듯이 답답하다.
주요 스킬	주저앉기
마음회복력	

아무리 캄캄해서 한치 앞도 보이지 않더라도 많이 움직여야 한다.
움직이다 보면 어느 새 <막막하다>에서 벗어나고 마음 회복도
자연스럽게 된다.

〈막막하다〉는 어두컴컴한 색깔을 가진 감정이다. 감정의 크기는 너무 커서 전체 크기를 다 본 사람이 없을 만큼 크고 넓고 깊다. 그래서 〈막막하다〉가 마음에 들어오면 주변은 바로 어두워지고 아무리 밝은 곳에 서 있어도 어느 곳에 어떤 것들이 있는지 보이지 않을 만큼 어두컴컴해진다. 막막함에서 벗어나 마음 회복을 하려면 아무리 어두워도 움직이는 것을 추천한다. 끝도 보이지 않을 만큼 막막함이라도 계속 움직이다 보면 갑자기 막막함에서 벗어날 때가 있다. 완전히 막막함에서 벗어나는 순간은 아무도 모르기에 더 막막할 수 있지만, 포기하지 않고 가다 보면 분명 히 이 어두컴컴한 〈막막하다〉에서 벗어난다는 확신이 생긴다. 쉽게 포기하지 않겠다는 용기가 함께 필요하다.

32가지 감정여행을 하며 이 길, 저 길로 다 다녔다고 생각했다. 그래서 어떤 길이 나와도 당황하지 않고 막막하지 않을 것 같았다. 하지만 살면서 예상하지 못한 낯선 길은 반드시 나온다. 안 해본 일도 겪게 되고, 왜 이런 일이 생기나 싶은 일도 생긴다. 그렇게 낯선 길을 만나게 되면 또 당황했고 막막함도 여전했다. 막막함이 생기면 멈칫하게 된다. 괜찮은 걸까? 이대로 가도 되는 걸까? 의심하게 된다.

그때 우연히 세계여행을 다니는 여행 작가님의 강연을 들은 적이 있다. 강연의 여러 이야기 중 가장 기억에 남는 말이 있었다. '여행을 하다 보면 지도를 봐도, 내비게이션을 봐도 길을 잃을 때가 있을 거다. 그때 내비게이션은 경로를 이탈했다고 말해줄 거다. 여기서 안내가 끝나지 않는다. 경로를 재탐색한다는 말로 안내해줄 거니 걱정하지 말고 다시 또 방향 설정해서 가면 된다. 인생도 마찬가지다.'라는 말씀이셨다.

맞는 말씀이다. 지금 가고 있는 32가지 감정여행의 최종 목적지는 '행복'이다. 행복으로 가는 길에 길을 잃어 내비게이션이 경로를 이탈했다고 말해도 괜찮은 거다. 〈막막하다〉가 마음에 생겨도 여기서 내비게이션 안내가 끝이 아니고 여행을 여기서 그만 하세요, 가 아닌 '경로를 재탐색'한다고 할 거다. 경로를 재탐색해서 그 끝에는 행복으로 가면 된다. 길을 잃은 다음 재탐색해서 갈 때, 오히려 그 길이 더 빠를 수도 있다.

내비게이션도 길이 바뀌면 주기적으로 업데이트하듯

마음속 내비게이션도 업데이트하고, 경로를 잃어도 막막함을 뒤로 하고 계속 가기로 마음먹었다. 경로를 재탐색합니다. 어두컴컴한 〈막막하다〉 터널을 나왔다는 것이 느껴졌다.

Q. 막막함을 느낄 때, 당신은 어떤 모습인가요?

No30. 불안하다

타입
: 희로애락 중 로(怒)

기본 특성
: 1. 마음이 편하지 아니하다
2. 몸이 편안하지 아니하다
3. 마음에 미안하다

주요 스킬
: 마음 할퀴기

마음회복력
: 🙂 ○ ○ ○ ○

<긴장되다>, <걱정되다>, <슬프다>, <괴롭다>가 연쇄작용
으로 밀려온다. 불안에서 벗어나기 위한 방법은 여러 가지 있으나,
'괜찮다'고 끊임없이 말해주는 방법을 추천한다.

[해설]

〈불안하다〉는 잔뜩 움츠려있는 형태의 감정이다. 움츠러든 불안함을 펴보려 해도 쉽게 펴지지는 않는다. 불안함이 마음에 생기면 〈긴장되다〉, 〈걱정되다〉, 〈슬프다〉, 〈괴롭다〉가 한꺼번에 밀려들어 오며 몸과 마음을 지치게 한다. 불안함에서 벗어나기 위해서 아직 많은 탐구가 필요하지만, 그중 하나는 '괜찮다'라고 끊임없이 말해주는 게 〈불안하다〉를 덜어낼 때가 있다. 그렇게 불안함을 덜어내고 불안함을 거치고 나면 마음 회복은 물론 더 멀리 나아갈 힘이 생긴다.

평소 잠꼬대를 자주 한다. 잠꼬대할 때 유일한 목격자는 같은 방을 쓰고 있는 동생이다. 얼마 전에는 세상 쿨한 말투로 잠꼬대했는데 "상처가 좀 찾아왔다~"라고 외쳤다고 한다. 불안의 연속이다. 여전히 불안정한 프리랜서 생활을 계속해오고 있고, 부모님 품에서 벗어나 독립을 한 것도 아니고 뭐 하나 이 사회에서 원하는 대로 안정적인 것은 없다. 일을 그만둔 후, 모아두었던 돈을 쓰고 있다. 점점 곳간은 채워질 줄 모르고 비워져만 가고 있었다. 이 역시 불안정하고 불안함의 연속이었다. 상처가 찾아오지 않을 수 없다. 그랬기에 상처가 찾아왔다는 잠꼬대가 절로 나왔나 보다.

불안함이 가득할 때마다 자연과 마주할 일이 있었다. 드넓은 자연은 불안한 마음을 달래려는 듯 쉽게 보여주지 않는 것들을 보여주었다.

한라산을 올랐을 때,
3대가 덕을 쌓아야 볼 수 있다는 백록담을 보았다.
100년 만에 둥근 보름달을 봤다. 정말 크고 밝았다.
별을 보러 간 여행에서, 온종일 비가 오고 흐려서
별 보기를 포기했었는데 그날 밤, 하늘에 빈틈이
안 보일 만큼 별을 봤고 별똥별도 봤다.

흔하지 않은 걸 자연이 보여줄 때마다 세상이 나에게 불안할 필요 없다, 괜찮다고 말하는 것 같았다. 자연 앞에서는 한낱 작은 존재이다. 거대한 자연이 작은 존재에게도 무언가를 보여줄 때는 작은 존재, 너도 할 수 있다고 말해주는 것 같다. 불안할 수 있고 걱정되는 일이 있어도 결국에는 행복을 보게 될 거라고 말해주는 느낌이었다. 자연을 보고 감탄할 뿐이었는데 마음이 괜찮아졌고 〈불안하다〉도 살짝 옅어졌다.

Q. 불안할 때 당신을 달래주는 것이 있다면?

_____

_____

_____

_____

_____

_____

No31. 고맙다

타입 | 희로애락 중 희(喜)

기본 특성 | 남이 베풀어 준 호의나 도움 따위에 대하여
마음이 흐뭇하고 즐겁다

주요 스킬 | 함께 있어주기

마음회복력 | ☺ ☺ ☺ ☺ ☺

<고맙다>가 생기면 꼭 밖으로 꺼내야 한다. 그래야 고마움이
온전히 전해지고 고마움 덕분에 힘들었던 마음도 금방 회복된다.

〈고맙다〉는 마치 곁에 난로가 있는 것처럼 따뜻한 성
질을 가지고 있다. 고마움을 품고 있으면 온몸이 따뜻
해져 그동안의 힘듦까지 절로 녹인다. 이 좋은 걸 혼자
만 들고 있기에는 너무 아깝다. 의외로 〈고맙다〉 감정
의 크기는 거대하기에 고마운 마음이 생기면 주변과 나
눌 수 있다. 주변과 고마움을 나눠도 마음속에 남아있
는 고마움은 충분하기에 얼마든지 나눠도 좋다. 고마움
을 나누는 방법은 어떤 방법이든 괜찮다. 밖으로 〈고맙
다〉를 꺼내면, 그 고마움은 신기하게도 배가 되고 따뜻
함도 온전히 느낄 수 있다. 고마움을 전하면 전할수록,
나누면 나눌수록 마음 회복에도 빠르게 된다.

다만 고마움을 나눴을 때, 마음이 그대로 전해지지
않을 때도 있다. 왜 마음을 몰라주지 하는 마음에 〈실
망하다〉, 〈속상하다〉가 찾아올지도 모른다. 하지만 고
마움을 받아들이는 것은 상대의 몫이고, 고마움을 마음
에 들일 여유가 없을 수도 있다. 지금 당장 내가 전한
고마움이 느껴지지 않더라도 〈고맙다〉가 준 따뜻함은
시간이 지나도 식지 않기에 고마움을 느낄 마음의 여유
가 생기면 〈고맙다〉는 언젠가 느껴질 것이다. 그 마음
이 또 상대의 마음도 빠르게 회복시킬 것이다. 고마움

을 나누면서 그대로 똑같이 돌려받지 않아도 되고, 받은 만큼 똑같이 돌려주지 않아도 된다. 〈고맙다〉가 〈부담스럽다〉로 변형되지 않도록 내 마음이 이끄는 대로 고마움을 밖으로 꺼내면 된다.

아주 어렸을 때, 이제 막 말을 배우기 시작할 때부터 "고맙습니다, 해야지.", "고마워, 해야지."라며 고마움에 대해 먼저 배웠다. 무려 32년간 쌓아온 〈고맙다〉인데 32가지 감정여행을 하며 〈고맙다〉는 더 커졌다. 살아갈수록 〈고맙다〉는 마음속에서 큰 부분을 차지한다.

불안하고 막막해도 계속 새롭게, 앞으로 갈 힘은 〈고맙다〉 감정이 있어서였다. 하루를 충실하게 보낼 수 있도록 함께 하는 이들에게 고맙고, 지금 이 순간을 충실히 사는 스스로에게도 고마웠다.

고마운 마음이 들 때는 고맙다고 꼭 입 밖으로 내뱉었다. 〈고맙다〉를 나눠 받은 상대는 쑥스러워하면서도 함께 〈고맙다〉를 느꼈다. 고마움이 2배로 늘어난 순간이었다. 〈고맙다〉는 언제나 말해도 닳지 않기에 나눌 수 있는 순간에 꼭 고마움을 말하기로 다짐했다.

하루하루가 새로운 날처럼 낯설게 느껴지고 격동의

변화 속에 살아도 늘 그랬던 것처럼 꾸준히 걸어가는 스스로에게도 매일 밤 자기 전 고마움을 말하고 있다. 큰 고마움이든, 작은 고마움이든 꼭 표현하고 토닥인다. 고마움은 내가 무슨 일을 해도, 어떤 모습이어도 함께 있어 주는 느낌이다. 그 든든한 마음 안고 오늘 하루를 보낼 수 있다.

지금 이 순간을 단단하게 살고 있어서 고맙다!

Q. 오늘 하루 고마운 순간 3가지만 적어볼까요?

No32. 기쁘다

(타입) 희로애락 중 희(喜)

(기본 특성) 욕구가 충족되어 마음이 흐뭇하고 흡족하다

(주요 스킬) 잘 살아가기

(마음회복력) 😊 😊 😊 😊 😊

<기쁘다>가 생기면, 그동안 살아온 세월 속 담긴 기쁨 전체가
함께 떠오른다. 그 기쁨 안고 하루를 더 잘 살아갈 힘이 생긴다.

〈기쁘다〉는 단단하고 두꺼운 두께를 자랑하는 감정이다. 워낙 묵직한 감정이기에 쉽게 사라지지 않는다. 살면서 생긴 크고 작은 기쁨들이 모두 마음에 쌓이면서 그 두께는 더 두꺼워진다. 새로운 기쁨이 생길 때마다 오래전 기쁨, 지금의 기쁨, 앞으로의 기쁨이 한꺼번에 밀려온다. 그래서 더 기쁘고, 즐겁고, 행복해진다. 그렇게 마음에 쌓인 〈기쁘다〉 위에 그 어떤 감정이 쌓여도 괜찮다. 슬프고 화나고 힘든 마음들이 쌓여도 문제없다. 기쁨은 쉽게 깨지거나 부서지지 않는다. 만약 지금 마음의 〈기쁘다〉가 보이지 않는다면 잠시 먼지가 내려앉은 것이니 먼지를 털어내기만 하면 된다. 슬프고 화나고 힘든 마음들이 지나면 그 끝엔 〈기쁘다〉가 보일 것이다. 얼마나 더 기쁠까, 기대하며 기쁨을 안고 하루를 더 잘 살아갈 힘이 생긴다.

기쁜 마음이 생기면 어쩔 줄 몰라 하던 때가 있었다. '지금 기뻐해도 되나. 아직은 기뻐해서는 안 돼, 더 달려야 해. 지금 기뻐하면 자만하는 거야!'라고 생각하며 겸손 떨며 맘껏 기뻐하지 않고 마음을 워워- 시켰다. 돌이켜보면 기쁨을 맘껏 즐겼어도 됐고, 설령 자만

이라고 하더라도 망가질 만큼 자만하지도 않았을 것이다. 괜한 걱정이었다. 기쁨을 즐겨야 무언가를 또 해나갈 힘도 생긴다. 〈기쁘다〉는 여태 살면서 나를 지탱해 온 감정이고, 어떠한 일이 생겨도 나를 잃지 않게 지켜주는 감정이다. 그런 중요한 감정임에도 불구하고, 늘 함께하고 있으니 소중히 생각하지 않았다. 기쁨보다는 그 위에 쌓인 슬프고 힘든 감정들이 먼저였다. '왜 이렇게 사는 게 힘든 것인가. 대체 언제 기뻐질 수 있지?' 생각했고 나중에 한참을 지나고 나야 '그땐 기뻤던 날이었네.'라고 뒤늦게 기쁨을 그리워했다. 그리고 그 생각 끝엔 '그래서 지금은 왜 이렇게 힘들지?'라며 반복했다. 그 순간에 기뻐했으면 이렇게 반복되지 않을 것이다. 지금이라도 아차! 싶었다면 다행인 거다. 이제부터는 시간이 흐른 다음 나중에 기뻐하지 않고 이 순간 기뻐하겠다고 마음먹었다. 크고 작은 기쁨을 모두 즐기고 마음껏 기뻐하겠다.

새로운 도전을 할 수 있어서 기쁘다. 앞이 보이지 않는 길이여도 일단 갈 수 있다는 것에 기쁘다. 실패한 일이 있다면 다시 할 수 있다는 것에 기쁘다. 어떠한 모습이어도 응원해주는 이들이 곁에 있어서 기쁘다. 슬프고 힘들고 화나는 때에도 이런 감정들을 알아차릴 수 있게 되어서 기쁘다. 모든 감정과 함께 살아가는 사람이어서 기쁘다. 오늘을 살아가고 있다는 것에 기쁘다.

앞으로 얼마나 많은 기쁜 일들이 또 기다릴까? 기쁨이 찾아올 생각에 또 기쁘다.

Q. 무엇이 당신을 기쁘게 하나요?(저는 당신을 만나 기뻐요)

나가며: 감정을 다 모아서 행복해졌나요?

서른두 살의 32가지 감정여행이 끝났다. 감정여행이 끝났지만, 완전한 끝이 아니다. 이 순간에도 수많은 감정과 여행하고 있기 때문이다. 책을 끝맺을 수 있다는 것에 '설레고', 책이 재밌을지 생각하며 '긴장'하고 '불안'하고, 유난히도 큰 변화가 많았던 32가지 감정여행을 잘 마무리 한 것 같아 '안심'하고 등등 여러 감정은 지금 이 순간에도 계속 생겨난다.

같은 감정이어도 이 책을 쓸 때와 다 쓰고 나서, 그 후 지금 다시 읽을 때 또 다르게 느껴지기도 한다. 한 감정에도 여러 기억과 추억들을 담고 있기에 꺼낼 수 있는 이야기는 무궁무진할 것이다. 32가지 감정여행을 하던 이때는 이런 감정으로 살았구나! 하고 알아가는 것만으로도 참 소중하고 중요한 시간이었다. 모든 감정들을 엮고 나니 다사다난한 변화들 속에서 잘 지내 왔다고 느껴졌다.

그렇다면 가장 중요한 질문, "감정을 다 모아서 행복해졌나요?" 솔직히 '감정을 모은다고 행복해지겠어? 잘 살 수 있겠어?'라고 의심했다. 근데 의심 없이 행복하다. 물론 언제나 늘 걱정없고 긍정적인 마음만 생겨서 행복하다고 말하는 것이 아니다. 살면서 어찌 괴롭지 않겠는가. '행복하다!'라고 말할 수 있는 건, 지금 겪고 있는 감정이 무엇인지 알아차릴 수 있어서다. 지금은 이 감정이나 '마음이 다치지 않도록 다른 감정을 준비시켜야겠어.'라고 대비를 하거나 혹은 '마음껏 이 감정을 즐겨야겠어.' 같이 마음을 챙길 준비가 되었다는 것에 행복한 마음이 생겼다.

같은 감정이어도 다음 해에는 또 다르게 다가올 것이다. 내가 성장한 만큼, 내 감정이 어떻게 자랄지도 궁금하다. 유난히 변화가 많았던 때라고 했지만, 다음 해엔 더 큰 변화가 생길 수 있다. 그땐 또 얼마나 많은 감정들이 몰아칠지 기대가 된다. 매년 〈모든 감정 도감〉을 만들고 싶다. 매년 만드는 감정 도감을 통해 얼마나 잘 살 수 있을지 궁금해진다. 이 책을 읽는 분들과 부디 또 감정여행을 함께 떠났으면 좋겠고, 또 만났으면 좋겠다.

중요한 건, 나만 잘 살면 안 된다. 우리 모두 잘 살아야 같이 행복할 수 있다. 여러분들의 감정도 궁금해진다. 지금 여러분은 어떤 감정으로 살고 있나요?

번외: 여러분의 차례입니다

[나만의 감정도감 만들기]

감정도감은 이렇게 만듭니다. 함께 만들어요!

1. 감정의 얼굴을 그려봐요!

: 잘 그리지 않아도 괜찮아요. 어떻게 그려도 다 좋아요.

내가 느낀 그대로 그려요

2. 감정의 타입

: '오늘의 감정'은 희/로/애/락 중 어디에 속하나요?

동그라미로 표시해주세요

3. 마음 회복력 지표

: 빈 얼굴에 스마일을 그려보세요.

마음 회복이 가장 빠르게 되는 감정은 스마일이 5개.

스마일이 완성될수록 마음 회복력이 빠르게 되는 감정!

4. 해설

: '오늘의 감정' 크기와 모양, 촉감, 온도를 생각해보세요.

이 감정은 어떻게 보이나요? 느낀 그대로 적어요. 언제 이

감정을 느꼈나요? 어떤 이야기, 어떤 기억이 담겨 있나요?

짧게 적어도 괜찮아요. 마음이 이끄는 대로 적어요.

여러분의 감정도감을 함께 나누고 싶다면
인스타그램 #모든감정도감 해시태그를 걸어주세요.
어떤 감정이든 좋아요. 당신을 널리 응원할게요!

오늘의 감정 <   >

타입 희로애락 중 희 / 로 / 애 / 락

마음회복력 ◯ ◯ ◯ ◯ ◯

해설

오늘의 감정 <   >

(타입)   희로애락 중 희 / 로 / 애 / 락

(마음회복력) ◯ ◯ ◯ ◯ ◯

(해설)

오늘의 감정 < >

타입   희로애락 중 희 / 로 / 애 / 락

마음회복력   ◯ ◯ ◯ ◯ ◯

해설

서른두 살의 32가지 감정여행

모든 감정 도감

초판 1쇄 발행   2022년 10월 7일
초판 3쇄 발행   2024년 6월 26일

지은이   이다솜
펴낸이   이다솜
표 지   개띠랑, 이다솜
펴낸곳   개띠랑
출판등록   2022년 9월 14일

전자우편   daasom135@naver.com
인스타그램   @dasom_unnie

* 이 책의 서체 중 일부는 저자의 손글씨로 제작한
〈온글잎 다솜언니체〉를 사용했습니다.

ISBN 979-11-980169-2-8 03800

* 책값은 뒤표지에 있습니다.
** 이 책의 내용 전부 또는 일부를 이용하려면
  반드시 저작권자의 허락을 받아야 합니다.